NAPOL

ŒUVRES DE G. LENOTRE

DE L'ACADÉMIE FRANÇAISE

A LA LIBRAIRIE GRASSET

GEORGES CADOUDAL.
LA PETITE HISTOIRE :

    I. — NAPOLÉON (Croquis de l'Épopée).
    II. — FEMMES (Amours évanouies.)
    III. — PARIS ET SES FANTOMES.
    IV. — VERSAILLES AU TEMPS DES ROIS.
    V. — LA RÉVOLUTION PAR CEUX QUI L'ONT VUE.
    VI. — DOSSIERS DE POLICE.
    VII. — EN SUIVANT L'EMPEREUR (Autres croquis de l'Épopée).
    VIII. — SOUS LE BONNET ROUGE (Croquis révolutionnaire).
    IX. — PARIS U DISPARAIT.
    X. — EN FRANCE JADIS.
    XI. — EXISTENCES D'ARTISTES (De Molière à Victor Hugo).
    XII. — NOS FRANÇAIS.

A LA LIBRAIRIE PERRIN

LA GUILLOTINE pendant la révolution

LE VRAI CHEVALIER DE MAISON-ROUGE.

LE BARON DE BATZ.

PARIS RÉVOLUTIONNAIRE.

VIEILLE MAISONS VIEUX PAPIERS, Six Séries.

BLEU BLANCS ET ROUGES.

LA CAPTIVITÉ ET LA MORT DE MARIE-ANTOINETTE.

LE MARQUIS DE LA ROUERIE et la Conjuration bretonne.

TOURNEBUT La Chouannerie normande au temps de l'Empire (1804-1809).

LE DRAME DE VARENNES. Juin 1791.

L AFFAIRE PERLET.

LE ROI LOUIS XVII ET L'ÉNIGME DU TEMPLE.

LA MIRLITANTOUILLE.

ROBESPIERRE ET LA MÈRE DE DIEU.

LE JARDIN DE PICPUS.

LES MASSACRES DE SEPTEMBRE (1792).

LES FILS DE PHILIPPE-ÉGALITÉ pendant LA TERREUR (1790-1796).

LA FILLE DE LOUIS XVI (1794-1799).

LE TRIBUNAL RÉVOLUTIONNAIRE (1793-1795).

LES NOYADES DE NANTES (1793).

LA FEMME SANS NOM.

PRUSSIEN D'HIER ET DE TOUJOURS. Deux Séries

GENS DE VIEILLE FRANCE.

MARTIN LE VISIONNAIRE (1816-1834).

BABET L'EMPOISONNEUSE... OU L'EMPOISONNÉE.

L'IMPÉNÉTRABLE SECRET DU SOURD-MUET MORT ET VIVANT.

LA COMPAGNIE DE JÉHU.

LA MAISON DES CARMES.

A LA LIBRAIRIE HACHETTE

MONSIEUR DE CHARETTE LE ROI DE VENDÉE.
LA PROSCRIPTION DES GIRONDINS.

A LA LIBRAIRIE MAME

CONTES DE NOËL.
HISTOIRES ÉTRANGES QUI SONT ARRIVÉES.

Dans la Collection pour Tous :

LE DRAME DE VARENNES
LA FILLE DE LOUIS XVI.
LOUIS XVII ET L'ÉNIGME DU TEMPLE.

LÉGENDES DE NOËL.
HISTOIRES ÉTRANGES QUI SONT ARRIVÉES.

A LA LIBRAIRIE DES LOISIRS

LES DERNIERS TERRORISTES. | LES TUILERIES.

A LA LIBRAIRIE CALMANN-LÉVY

LE CHATEAU DE RAMBOUILLET.
LA VIE A PARIS PENDANT LA RÉVOLUTION.

NOTES ET SOUVENIRS DE G. LENOTRE.
UN VOYAGE A PARIS SOUS LOUIS XVI.

G. LENOTRE

DE L'ACADÉMIE FRANÇAISE

Napoléon

CROQUIS DE L'ÉPOPÉE

BERNARD GRASSET

TROIS JOURNÉES DE NAPOLÉON
1780-1805-1814

Quand, à la fin de mai 1779, le petit Bonaparte, alors
âgé de près de dix ans, arriva à l'école militaire de
Brienne, venant du collège d'Autun, il se trouva cruellement dépaysé dans cette pauvre bourgade de Champagne, dont tous les toits étaient de chaume, sauf celui
du presbytère et celui aussi de l'école où débarquait
le *nouveau*, les yeux et le cœur encore pleins des radieux aspects et du ciel étincelant de sa Corse.

L'école était un couvent, dirigé par les pères minimes : elle occupait des bâtiments situés à l'entrée de
la petite ville, au pied d'une butte escarpée que cou-
ronnaient des ruines et une énorme bâtisse inachevée
entourée d'échafaudages. La ruine était celle d'un ancien château fort, assiégé, au xe siècle, par Louis d'Ou-
tremer, et qui avait successivement appartenu aux
Luxembourg et aux Loménie. La construction neuve
était un palais dans le goût moderne que faisait élever,
à grands frais, M. de Brienne, seigneur de l'endroit,
riche des millions roturiers apportés en dot par sa
femme, fille d'un financier opulent.

L'antique donjon, du sommet de son roc escarpé,

assistait lentement à ses propres funérailles, tout en
regardant, de haut, la splendide résidence qui s'élevait
à ses pieds. Chaque jour le dépossédait d'un bastion ou
d'un pan de mur; il ne conservait plus de ses assises,
qui avaient résisté à tant d'attaques, que ce qu'il en
fallait pour le soutenir : les marronniers de son préau
avaient disparu; la montagne avait été, autour de lui,
sciée perpendiculairement, puis brisée, charriée, trans-
portée et étalée au loin pour devenir le sol plan des
futurs jardins. Saisissante image du passé et de l'avenir,
bien propre à frapper les imaginations éprises des sy-
métries symboliques. Tandis que s'élevait le château
neuf, absorbant pierre à pierre la vieille demeure féodale en ruine, grandissait, à quelques pas de là, l'enfant qui devait, vingt ans plus tard, créer un monde
nouveau et transformer pour toujours l'œuvre vermou-
lue des siècles écoulés.

LES ANNÉES D'APPRENTISSAGE

L'école de Brienne n'est pas un endroit réjouissant;
les maîtres y sont médiocres, les condisciples hostiles
au nouveau venu, la discipline est rude. Le petit Corse
a revêtu l'uniforme : il porte l'habit bleu aux parements, revers et collet rouges, avec des boutons blancs
aux armes de l'école, la veste bleue à doublure blanche,
la culotte bleue ou noire selon les circonstances. Il
n'est point joyeux comme les autres; il n'est ni liant,
ni aimable; isolé au milieu de ces continentaux sans
indulgence, qui se moquent de son patois corse et de
son air concentré, il n'a ni un confident, ni un ami.
Ce pauvre gamin de dix ans, farouche et silencieux,

mène une vie sévère que sa susceptibilité rend plus
austère encore. Même après des mois et des années de
claustration, sans un congé, sans un jour de vacances,
il ne s'est point familiarisé. Son seul réconfort est le
travail : il se fait remarquer par une application sou-
tenue, un singulier et insatiable besoin d'apprendre.
Séparé de tous les siens, qu'il adore, il sait qu'il doit
travailler pour eux, afin d'être en mesure de les aider,
quand il sera homme : aussi ne perd-il pas une heure.

S'il se mêle parfois aux jeux de ses compagnons,
c'est quand ces amusements ont quelque rapport avec
ses études : au cours d'un hiver rigoureux, il a dirigé
la construction, dans la cour du collège, d'un fort,
d'un bastion et d'une redoute de neige. Il conduit les
travaux, que les Briennois viennent admirer; d'ingénieur, se faisant tacticien, il mène ses camarades à
l'attaque de ces fortifications éphémères, que d'autres
défendent contre l'assaut. Ces jours-là, il est le héros
de l'école; le plus souvent on le laisse à l'écart, car
il n'est pas aimé. On dit que, ayant un jour organisé
sa classe en un bataillon dont il s'érigea le commandant, il fut, par ses soldats révoltés, cassé de son grade :
on lui lut la sentence qui le dégradait et il fut renvoyé au dernier rang de la troupe. On raconte aussi
que, pour insubordination, il fut condamné à revêtir un
habit de bure et à dîner à genoux sur le seuil du
réfectoire; mais, au moment de subir sa peine, il tomba,
pris d'une crise nerveuse si violente que le père supérieur crut prudent de lever la punition.

C'est à Brienne que Bonaparte reçut la première
communion; le père Charles l'y prépara; elle lui fut
donnée par le père Geoffroy, curé du bourg, et, bien
probablement, dans la vieille église du XVIᵉ siècle qui

existe encore. Ce fut la seule fête qu'il connut durant
ses cinq ans de séjour. Car il n'y avait pour lui ni
dimanches, ni parloir, ni sorties : une seule fois, en
1783, son père, conduisant à Saint-Cyr la petite Ma-
rianna, vient le voir en passant. Comme distractions,
il y a les promenades dans la campagne, le long de
l'Aube, et dans la vaste plaine que traverse la route de
Bar, soit vers Dienville, soit vers La Rothière, jusqu'à
la chaumière de la « mère Marguerite », une vieille
femme qui vend du lait et des œufs, et, une fois par
an, le 25 août, jour de la Saint-Louis, fête du roi, la
visite du nouveau château dont les propriétaires, M. et
Mme de Brienne, ouvrent, ce jour-là, les portes à tout
venant.

Ainsi se formaient, dans l'austérité d'une réclusion
quasi monacale, cette âme qui ne ressemble à aucune
autre et ce génie qui éblouira le monde.

Le vieux donjon de Brienne a disparu; ses nobles
débris ont servi de fondations aux écuries neuves, où
cent chevaux sont abrités, la butte qui le portait a été
descendue en pente douce jusqu'au bourg, formant une
rampe magnifique dont la déclivité. ombragée de til-
leuls, commence une immense avenue qui se perd,
au loin, dans la campagne. Le château terminé dresse
ses façades toutes blanches sur cette majestueuse terrasse, et c'est une splendeur telle que l'imagination du
petit Corse n'a jamais rien rêvé de semblable. Pour
lui, quel émerveillement de trottiner, en bande avec
ses camarades, sur les parquets cirés ou les dalles de
marbre, dans cette demeure de fée! Il est, de tous, le
plus pauvre, le plus sauvage, le plus novice; tout est
pour lui sujet de stupeur : les grands laquais, en habits
gros vert, galonnés d'argent, avec collet de velours

cramoisi, l'immense salon du rez-de-chaussée, dont les
portes de glace ont pour perspective l'avenue et les
jardins, la bibliothèque à deux étages, entourée de
galeries circulaires et dont le centre forme un cabinet
d'histoire naturelle, la salle de spectacle, le pavillon de
l'archevêque et, au premier étage, l'appartement réservé aux souverains et qu'occupe parfois Mgr le duc
d'Orléans, dont la chambre est toute d'or et de soie,
avec un lit... un lit semblable à un autel, surmonté
d'un dais de velours bleu de roi à lourdes franges étin-
celantes, empanaché de bouquets de plumes blanches,
que supportent quatre colonnes sculptées... Est-il possible de dormir dans un lit pareil? Et, sans doute, le
petit Corse compare avec ébahissement ces richesses avec
la modeste maison d'Ajaccio, à laquelle il pense si
souvent, et que sa maman et ses sœurs considèrent
comme le plus beau lieu de la terre.

Il y a aussi, à Brienne, les remises encombrées de
carrosses dorés, de berlines, de calèches basses pour la
chasse; il y a un peuple de veneurs, de piqueurs, de
valets, de sonneurs de trompe; il y a, sur les pelouses
du parc, aux jours de réjouissance, un cirque, des
théâtres de baladins, des baraques de saltimbanques,
des joueurs de parades, des danseurs de corde, des far-
ceurs venus des boulevards de Paris, avec tout leur
matériel artistique, pour divertir les Champenois. Ces
premières révélations du luxe et de la vie des riches
étonnent peut-être le jeune Bonaparte, mais ne le
distraient pas de son travail, de son idée fixe; peut-
être aussi considère-t-il ces magnificences comme des
choses irréelles, auxquelles il n'est pas bon de songer
puisque, jamais, jamais, elles ne seront accessibles au
pauvre étudiant qu'il est et qui, s'il réussit, doit passer

sa vie d'officier dans quelque garnison d'une province
lointaine, économisant sur sa maigre solde, pour sub-
venir aux besoins de sa famille. Et il se remet au
labeur, ne perdant pas de vue ce but, qui est le sien,
et dont rien ne le détournera.

Pendant l'apothéose

Vingt-cinq ans plus tard, la seigneuriale demeure
de Brienne se prépare de nouveau pour une fête; mais
pour une fête telle que château de France n'a jamais
vu la pareille. On est au mercredi, 3 avril 1805 : il est
cinq heures du soir; dans l'avenue, sur la rampe des
terrasses, sur l'esplanade même, une foule immense, en
deux haies, s'aligne, entassée : tous les bourgeois de
la ville, les villageois des environs, des paysans venus
de loin, et il en arrive toujours, et chacun prend son
rang, dans une attente déférente et fiévreuse. L'Empereur, que le Saint-Père a récemment couronné à Paris,
est en route pour Milan où il va ceindre la couronne
d'Italie; entre ces deux incidents, il s'est arrêté à Troyes
où il a laissé « le gros bagage », c'est-à-dire l'impératrice, les ministres, les grands officiers, tous les personnages composant sa maison, et il a résolu de visiter
Brienne.

Sur le perron du château, attend Mme de Brienne,
entourée de toute sa famille de gentilshommes et de
nobles dames à grands noms. Depuis la veille, des
courriers circulent incessamment sur la route : un peu
avant six heures, toutes les têtes se penchent, un beau
cavalier paraît dans l'avenue, galopant vers le château.
Qu'est-ce que celui-là? Un simple écuyer qui précède

les voitures impériales, M. de Canisy, un cousin de la
châtelaine, et presque aussitôt une grande clameur
s'élève de la foule, gagnant et grandissant depuis les
rues de la ville jusqu'aux levées du château. « Le
voilà! c'est lui! *Vive l'Empereur!* » Une voiture passe
au grand trot des chevaux; elle ne contient que des
officiers de service; puis une autre, à la portière de
laquelle paraît la tête pâle et souriante du maître; une
troisième, menée, comme les deux autres, par les piqueurs à la livrée impériale, conduit les « gens de la
chambre ». Dans le brouhaha de l'arrivée, on voit l'Empereur descendre de sa berline, et gravir les marches
du perron, parmi les profondes révérences et les baise-
mains. Mme de Brienne lui présente tous ses nobles
invités; Napoléon a pour chacun d'eux un mot aimable.

Il paraît radieux de se retrouver dans ce grand salon
qu'ont jadis — il y a si peu d'années — admiré ses
yeux d'enfant et qui doit lui paraître bourgeois, presque
mesquin, à lui qui possède, maintenant, les Tuileries,
Saint-Cloud, Compiègne, Trianon, Fontainebleau... La
réception terminée, on le conduit à son appartement;
l'appartement réservé aux souverains de passage : il
couchera dans le beau lit, à dais de plumes et à colonnes dorées; mais comme cela lui paraît ordinaire
et simple!

Au bout de peu d'instants il rentre au salon et le
dîner commence; l'Empereur, ainsi qu'il convient,
occupe la place du maître de la maison : l'étiquette
exige qu'il soit *chez lui* partout où il passe; il a Mme de
Loménie à sa gauche, et, à sa droite, Mme de Brienne,
exultante d'orgueil et de joie. Mais le repas traîne en
longueur, et déjà Sa Majesté donne des signes d'impa-

tience; heureusement, une horrible maladresse du maître d'hôtel qui, dans son empressement, répand une saucière sur la nappe et presque sur les genoux de Napoléon, vient dérider le front impérial, en même temps qu'un profond désespoir se peint sur celui de Mme de Brienne. Alors l'Empereur éclate de rire, se lève de table, et tous les convives l'imitent aussitôt.

La soirée se termina par une partie de « wisk » à laquelle Napoléon daigna admettre Mmes de Vandeuvre, de Nolivres et la maîtresse de la maison. Il avait résolu de décider celle-ci à lui vendre son château. Mais elle ne voulait rien entendre. « Veuve et sans enfants, qu'est-ce que c'est que Brienne pour vous? disait-il; pour moi, c'est beaucoup. — Pour moi, c'est tout », répondait-elle. Sur quoi l'Empereur observait à Caulaincourt : « Je n'ai jamais vu une vieille femme plus opiniâtre. » Il causa longuement avec les personnes présentes, rappelant, avec une surprénante fidélité de mémoire, les moindres particularités de son séjour à l'école du bourg; puis il rentra dans son appartement.

Le lendemain, à l'aube, il était debout. Norvins, qui se trouvait là, en qualité de neveu de la châtelaine de Brienne, a écrit les minutieux détails de ces deux journées : il raconte que, sorti de bonne heure du château, l'Empereur se fit conduire par Canisy à l'ancienne école militaire : les immenses bâtiments avaient servi, pendant la Révolution, d'ateliers de construction pour les charrois militaires. Ils étaient en partie abattus, et ce qui restait parut si dégradé, si défiguré que toute restauration semblait impossible. L'Empereur parcourut ces ruines, manifestement attristé de ce délabrement; il avait espéré que quelque cent mille francs lui permettraient de reconstruire l'école; constatant qu'il y faudrait dépenser plusieurs millions, il renonça à ce projet.

Alors il sauta sur son cheval arabe, le lança sur la route de Bar, et, se jetant rapidement à gauche, dans les champs, courut, à triple galop, comme un élève ou comme un empereur en liberté, reconnaître les lieux où il s'était jadis promené si souvent. Sa suite le perdit bientôt de vue. Caulaincourt et Canisy le traquèrent pendant environ trois heures, quand un coup de pistolet tiré en l'air par le grand écuyer rallia enfin Napoléon à ses officiers. Il les aborda en riant, heureux, lui le maître de tant de millions d'hommes, d'avoir été le sien durant trois heures, par cette journée de printemps, en ce coin de France dont il connaissait tous les aspects, fixés au plus lointain de ses souvenirs. La sueur qui couvrait son cheval, le sang qui lui sortait des naseaux et sa vitesse bien connue ne permirent pas à Caulaincourt de douter que l'Empereur eût parcouru « moins d'une quinzaine de lieues ». Où avait-il été? Il n'en savait rien lui-même; il avait traversé des bois, des champs, des villages; la silhouette du château de Brienne, aperçue au loin, avait guidé son retour. Ce qu'on peut assurer, c'est que les heures employées à cette escapade comptèrent certainement parmi les plus radieuses de sa miraculeuse existence.

Le rédacteur des *Mémoires* de Constant — autre témoin oculaire — note que, au cours de cette randonnée joyeuse, Napoléon dirigea sa course vers la chaumière de la mère Marguerite, la bonne femme que les élèves de l'ancienne école allaient souvent visiter. Il s'était renseigné auprès de Mme de Brienne et avait appris que la vieille paysanne vivait encore.

Arrivé à la porte de la cabane, il descendit de cheval et entra chez la fermière.

« Bonjour, la mère Marguerite, dit-il en la saluant, vous n'êtes donc pas curieuse de voir l'Empereur?

— Si fait, mon bon monsieur, j'en serais bien curieuse; et si bien que voilà un petit panier d'œufs frais que je vas porter à madame, et puis je resterai au château pour tâcher d'apercevoir l'Empereur. Ce n'est pas l'embarras; je ne le verrai pas si bien aujourd'hui qu'autrefois, quand il venait, avec ses camarades, boire du lait chez la mère Marguerite...

— Comment, mère Marguerite, vous n'avez pas oublié Bonaparte?

— Oublié? mon bon monsieur! Vous croyez qu'on oublie un jeune homme comme ça, qui était sage, sérieux et même quelquefois triste, mais toujours bon pour les pauvres gens? Je ne suis qu'une paysanne; mais j'aurais prédit que celui-là ferait son chemin.

— Il ne l'a pas trop mal fait, n'est-ce pas?

— Ah! dame! non! »

L'Empereur s'était approché de la bonne femme et, quand il fut tout près d'elle, il se frotta les mains et dit, s'efforçant de rappeler le ton et les manières de sa première jeunesse :

« Allons, la mère Marguerite, du lait, des œufs frais, nous mourons de faim. »

La vieille parut chercher à rassembler ses souvenirs; elle se mit à considérer son visiteur avec grande attention.

« Oh! bien, la mère, vous étiez si sûre, tout à l'heure, de reconnaître Bonaparte. Nous sommes de vieilles connaissances, nous deux. »

Déjà la paysanne était tombée à ses pieds. Napoléon

la releva, et, de sa voix la plus douce, fort ému lui-
même, sans nul doute :

« En vérité, dit-il, j'ai un appétit d'écolier. N'avez-
vous rien à me donner? »

Marguerite, tremblante de bonheur, posa sur la table
une tasse de lait et fit cuire des œufs. Son repas fini,
l'Empereur lui donna une bourse remplie de napoléons
d'or, remonta à cheval et disparut.

Tout maître du monde qu'il était, il ne dut pas avoir
beaucoup de moments comme celui-là, dans sa vie.

On a dit encore que, vers midi, avant de quitter
Brienne, contemplant, du haut des terrasses du château,
la vaste plaine qui s'étend vers La Rothière, il aurait
dit : « Quel beau champ de bataille on ferait ici! »
Il fit ses adieux à son hôtesse et reprit la route de
Troyes.

Aux heures sombres

Neuf années encore ont passé. On est en 1814; c'est
l'hiver : les routes sont boueuses, le ciel est de plomb;
la campagne, morte, s'étend à perte de vue, plaquée de
grandes taches de neige. Le soir du 29 janvier, quand
la nuit vient, les fenêtres du château de Brienne, massif
et fier, dominant ses terrasses, s'éclairent, comme pour
une fête encore. Ce n'est pas une fête, pourtant; les
Prussiens occupent le bourg : Blücher et ses officiers,
logés dans les grands appartements, s'apprêtent à souper; leurs soldats ont pillé les caves; les réquisitions ont
fourni les viandes; on se prépare à faire bombance et
à boire le champagne des châtelains, en trinquant à la
prise de Paris, vers lequel on marche et où, avant la

fin de la semaine, on fera une entrée triomphale. Dans les rues du bourg, dans la grande avenue, sur les rampes, sur l'esplanade, l'ennemi campe, victorieux et rassuré. Au cours de l'après-midi, un corps d'armée français a tenté de s'emparer de Brienne; mais il a été repoussé et le crépuscule a mis fin au combat. Avant vingt-quatre heures Blücher aura opéré sa jonction avec la grande armée autrichienne qui s'avance par les vallées de l'Aube et de la Seine, et c'en sera fini de la France.

Le feld-maréchal n'ignore pas que Napoléon s'est mis à sa poursuite; mais la petite troupe que l'Empereur traîne derrière lui, à travers les boues de la Champagne et les ravins de la forêt du Der — à peine 30 000 hommes, conscrits inexpérimentés pour la plupart, mal équipés, mal nourris — s'est disséminée et perdue dans les fondrières du côté d'Eclaron et de Montier-en-Der.

En quoi Blücher s'illusionne. Napoléon est là, tout près de Brienne. La traversée de la forêt l'a retardé en effet; mais le patriotisme des paysans champenois a sauvé l'armée de l'embourbement : leurs cordages, leurs chevaux, leurs bras, ils ont tout offert; les hommes ont poussé à la roue des canons; les femmes ont apporté du vin, réconforté les courages, allumé de grands feux pour réchauffer les conscrits grelottants, et, de village en village, repoussant les avant-postes des envahisseurs, on a gagné ainsi, pied à pied, le terrain, encerclant de trois côtés Brienne auquel on va donner l'assaut.

Comme il approchait du hameau de Maizières, l'Empereur avait vu le vieux curé de l'endroit accourir à sa rencontre, « se jeter à sa botte et la presser avec émotion ». Le prêtre se nomma : c'était le père Henriot, un

des anciens professeurs de l'école de Brienne, actuellement desservant de cette pauvre paroisse. Napoléon le
reconnut et l'accueillit affectueusement. Malgré son
grand âge, le curé était frémissant d'enthousiasme. A
cette fin comme au commencement de la carrière de
son héros, glorieux de son élève, fier de se retrouver
à ses côtés, il voulait, disait-il, lui servir de guide, et
rentrer en sa compagnie dans ce Brienne où, trente ans
auparavant, il avait vécu avec lui. L'Empereur le fit
monter sur le cheval de son mameluk Roustam, et,
ravi de faire la guerre dans l'escorte de celui auquel
il en avait enseigné les premiers principes, le vénérable
curé se mêla à l'état-major.

Au château de Brienne, les Prussiens s'étaient atta-
blés; ils trinquaient au succès de leurs armes, quand,
tout à coup, l'une des fenêtres de la salle du festin
vole en débris, et le lustre qui éclaire la table se brise
en mille éclats sur les têtes des convives épouvantés.
C'est un boulet français qui vient de causer cette alerte,
et aussitôt, la canonnade gronde, la fusillade fait rage :
la ville est attaquée. Au cri d'alerte, les généraux prussiens se pressent en tumulte, se bousculent vers les
portes, abandonnant à pied le château que nos bataillons escaladent du côté des jardins. Blücher et ses
officiers s'enfuient en désordre, espérant se réfugier
dans la ville; mais en descendant l'avenue ils se heurtent
à nos fantassins qui la montent au pas de charge. Le
feld-maréchal échappe à grand-peine; plusieurs des
siens, son aide de camp même, sont pris ou tués derrière lui. Alors, en dépit d'une nuit obscure, s'engage,
dans les rues du bourg et sur les terrasses, une terrible
et furieuse mêlée. Deux fois l'ennemi se rue sur le château; mais quatre cents de nos conscrits l'occupent et s'y

rendent inexpugnables; tandis que, dans la ville, plusieurs fois prise et reprise, les attaques se croisent, à la lueur des incendies; chacune des maisons de Brienne devient le théâtre d'un combat, et la mêlée est telle que, dans le désarroi du combat, une troupe de cosaques ivres vient se confondre avec l'escorte de Napoléon.

C'est lui qui, à portée des coups, a dirigé toute l'action. Le brave curé de Maizières est hardiment resté à ses côtés, jusqu'à ce qu'une balle, le frappant au talon, le désarçonne; il roule dans la boue, et on le rapporte à son presbytère où l'Empereur a, pour le reste de la nuit, établi son quartier général.

Dans Brienne le carnage a pris fin; mais on ne sait encore à qui appartient la victoire; chacun reste l'oreille au guet et l'arme prête : à l'aube du lendemain, 30 janvier, seulement, on découvre que l'ennemi s'est retiré : Napoléon, à travers les décombres sanglants, monte les rampes du château et s'installe dans cette belle demeure saccagée, toute fumante encore du combat de la nuit.

C'était la troisième fois qu'il y pénétrait; et il semblait que, à chacune de ses visites, le monde tout entier avait changé par lui, autour de lui. Il était entré là, enfant timide et émerveillé; il y était revenu aux plus beaux jours de sa gloire et comme pour y mieux savourer sa prodigieuse fortune; il y reparaissait, traqué, vaincu, désavoué, presque abandonné déjà; cette bourgade où s'était formée son adolescence et où le sort le ramenait après tant de conquêtes, il la retrouvait dévastée, jonchée de morts, encombrée de ruines. Ségur, dont on suit ici l'émouvante relation, rapporte que, à peine arrivé au château de Brienne, l'Empereur, pour se raffermir, sans doute, contre d'amères pensées, s'attarda à faire des projets : il se décidait à acheter Brienne, il convertirait ce domaine en une résidence impériale; peut-être y rétablirait-il l'école militaire.

Afin de consoler de leur désastre les habitants du bourg, il leur distribua tout l'or de sa cassette. Il revenait sans cesse à l'une des fenêtres d'où l'on domine les plaines qu'arrose la rivière d'Aube. Il cherchait à découvrir, dans l'horizon brumeux, les mouvements de concentration des armées ennemies; il savait leurs forces trois fois au moins supérieures aux siennes; et il lui fallait, pour en attendre le choc, rallier les débris de ses troupes disséminées. Rapidité audacieuse, manœuvres soudaines, élans inattendus, toutes les ressources de son génie lui étaient interdites. La dernière nuit de janvier s'écoula pour lui dans cette expectative. Le lendemain, dès son lever, ses souvenirs, ses espoirs d'enfance se réveillèrent en son esprit; il en raconta les détails à son entourage et son récit se termina par cette exclamation : « Pouvais-je croire alors que j'aurais à défendre Brienne contre des Russes? »

Dans l'après-midi, il se dirigea vers cette plaine de La Rothière où, un jour de printemps, l'âme en fête, il avait follement chevauché à la recherche de la mère Marguerite. Aujourd'hui, le ciel était sombre, chargé de frimas : Napoléon allait, au travers des flocons d'une neige épaisse, parcourant le front de sa frêle armée, cherchant à distinguer les profondes lignes ennemies; de grands mouvements s'y manifestaient : l'invasion tout entière était là, Prussiens, Bavarois, Autrichiens, Russes, bien repus, vivant en maîtres, depuis un mois, dans nos demeures; le roi de Prusse, le tsar, l'empereur d'Autriche étaient accourus avec toutes leurs réserves, pour assister à l'action décisive qui se préparait. Pourtant, malgré l'écrasante supériorité de leur nombre, ils n'osaient attaquer. Ils se savaient en présence de Napoléon et ils avaient peur.

La bataille s'engagea seulement le 1er février, vers une heure de l'après-midi. L'Empereur s'était porté au centre de ses positions, en avant de La Rothière; les jeunes conscrits, embusqués derrière les clôtures du village, se le montraient l'un à l'autre, causant tranquillement avec Grouchy, sous une grêle de balles et de mitraille à laquelle il ne paraissait pas songer. De temps à autre, Grouchy pressait son bras d'une main suppliante : il lui représentait, raconta-t-il depuis, que toutes les destinées de l'armée tenaient à la sienne. Mais l'Empereur, souriant, répondit : « Non, laissez; ne savez-vous pas que tous nos jours sont comptés? »

Trois fois les masses ennemies, débordant nos ailes, repoussèrent de La Rothière nos bataillons; à la fin, il fallut céder; la nuit tombait et sept mille des nôtres étaient déjà tués ou hors de combat. Mais Napoléon n'avouait point sa défaite : il s'obstinait sur ce champ de bataille où tout semblait désespéré. Forcé enfin d'ordonner la retraite, il ne put se résigner à laisser aux alliés ce village de La Rothière qui allait donner son nom à leur victoire. Les soldats lui manquent; il ordonne à Drouot de braquer ses obusiers; une pluie de projectiles tombe sur le village; les flammes en chassent les ennemis qui, surpris de cette dernière attaque, prennent pour le commencement d'un nouveau combat ce signal de notre défaite. Et tels furent les adieux de Napoléon à cette plaine tragique.

Il rentra à Brienne vers huit heures du soir pour y passer la nuit. La cavalerie de la garde d'honneur occupait les abords du château, plongés dans une profonde obscurité; car on avait interdit d'allumer les feux. Une ombre mobile allait, venait et repassait fréquemment à l'une des croisées les plus éclairées du château. C'était la silhouette de Napoléon. Une vive anxiété agitait l'Empereur; à tout moment, l'oreille attentive, l'œil inquiet, il quittait ou sa dictée ou ses cartes, tantôt pour envoyer aux nouvelles ou en demander, tantôt pour s'approcher de la fenêtre et interroger du regard toute la plaine, où brillaient les feux nombreux et serrés des bivouacs ennemis.

La retraite, pendant ce temps, s'effectuait : il aurait suffi d'un mouvement des alliés pour la transformer en déroute; mais ils savouraient leur triomphe et ne bougèrent pas. Napoléon comptait les moments, écoutant, consultant l'heure, s'informant sans cesse. Vers quatre heures du matin, la dernière de nos troupes s'était engagée sur la route de Troyes, désormais à l'abri de toute surprise. Restaient les blessés qu'il fallait abandonner. L'Empereur envoya tout ce qui lui restait d'argent aux sœurs chargées de leur soin; puis il quitta lui-même le château de Brienne; il marchait à pied; son attitude était ferme, mais grave et soucieuse. Il fit ainsi près d'un quart de lieue; après quoi il monta à cheval et disparut aux yeux de sa garde, vers Lesmonts, dans les dernières heures sombres de la nuit.

*

Il ne devait plus revoir Brienne; mais il ne l'oublia jamais. Captif, à Sainte-Hélène, il y pensait encore et revenait souvent sur les jours heureux qu'il y avait passés. Il inscrivit, dans son testament, la ville de

Brienne pour un legs de 400 000 francs, comme si le remords l'avait poursuivi d'avoir, par son dernier séjour, exposé au canon de l'ennemi ce berceau de sa gloire et de son génie. Un décret du 5 avril 1854 assura l'exécution de cette disposition testamentaire, et Brienne se trouva riche : on construisit un hôtel de ville, on répara l'église, on assura des subsides aux salles d'asile et aux œuvres de charité et on érigea, sur la place, une statue de bronze représentant le jeune Bonaparte, vêtu de son costume d'élève de l'école; il est figuré tenant un livre de la main gauche, la droite placée dans son gilet à demi ouvert, la tête légèrement penchée, dans l'attitude de la méditation. Sur le socle sont gravées ces paroles de Napoléon : *Pour ma pensée, Brienne est ma patrie : c'est là que j'ai ressenti les premières impressions de l'homme.*

L'IMPÉRATRICE JOSÉPHINE

IL y a, rue d'Antin, dans une ancienne et aristocratique demeure, siège aujourd'hui d'une grande société
financière, un vaste salon qui a conservé son pompeux
et délicat décor du temps de la Régence : lambris
sculptés de vieux ors en deux tons à la façon de Bof-
frand, dessus de portes où planent des divinités mytho-
logiques, dans des cadres de roseaux et de roses, large
frise où des amours s'ébattent parmi des rocailles, toute
une symphonie de belles choses que deux siècles ont
fanées, fondues en une délicieuse harmonie et que répètent, en des perspectives infinies, de hautes glaces à
bordures sculptées. Dans ces vénérables logis les glaces
surtout attirent; elles font un peu peur : il semble que,
à s'y mirer, on pénètre en intrus dans du mystère. Son-
gez donc! Elles ont vu tant de choses et tant de gens;
elles ont surpris tant de secrets; reflété tant d'intimités,
de comédies, de drames peut-être! Est-il donc possible
qu'elles n'aient rien gardé de tout cela? Ne se rencon-
trera-t-il jamais quelque Niepce ou quelque Daguerre
pour trouver la formule d'un révélateur qui donnerait
aux miroirs d'autrefois la sensibilité d'une plaque pho-
tographique et nous permettrait d'assister au défilé de

tous les fantômes, gais ou mélancoliques, burlesques ou tragiques, qu'ils ont reflétés?

Si les glaces du salon de la rue d'Antin pouvaient raconter, voici, entre mille et mille autres choses pour toujours perdues, ce qu'elles nous diraient : c'est un soir — vers huit heures, — le 9 mars 1796 : cinq personnes sont dans le salon; deux hommes causent ensemble, c'est Barras et c'est Tallien; un autre se tient modestement à l'écart, c'est Calmelet, l'homme de confiance de la citoyenne Beauharnais qui, elle, assise auprès de la cheminée, chauffe au foyer ses pieds mignons et cambrés; l'officier de l'état civil, le citoyen Leclercq, s'est installé dans un fauteuil et attend patiemment l'instant d'exercer les devoirs de sa charge : car il s'agit d'un mariage : ce salon est celui de la mairie du IIᵉ arrondissement, et la future épouse est cette jolie femme qui songe, en regardant le feu; Barras et Tallien sont là pour lui servir de témoins : le marié est en retard; c'est un petit général de vingt-sept ans, portant un nom corse, difficile à retenir, Bonaparte, et un prénom, plus bizarre encore : Napoléon.

L'heure passe, et il ne paraît pas : les bruits, dans la rue, à cette heure tardive, se sont amortis; dans le salon le silence s'est fait, et la citoyenne Joséphine de Beauharnais, le menton dans la main, repasse en esprit la singularité de sa destinée : son enfance libre, « aux Iles », où elle est née; les longues paresses sous le climat voluptueux; son père, toujours aux prises avec des difficultés d'argent; sa tante Renaudin, la forte tête de la famille, qui s'est insinuée chez le gouverneur de la colonie, M. de Beauharnais, et qui a suivi celui-ci en France. Puis, Joséphine est venue, elle aussi, à Paris; sa tante l'a mariée au fils Beauharnais : il avait dix-

neuf ans; elle en avait quinze : se sont-ils aimés? ce
n'est pas très sûr; elle l'a si peu vu, d'ailleurs, cet
époux éphémère, toujours absent, tantôt dans sa garnison, à Verdun ou à Metz, le plus souvent en voyage.
Elle a souvenir de longs mois de solitude dans ce triste
hôtel de Beauharnais, rue Thévenot, n'ayant pour distraction que les lettres qu'elle reçoit de son mari, bour-
rées de conseils, de remontrances et de pédantisme. Des
rares rapprochements, deux enfants sont nés : Eugène
et Hortense : le premier a aujourd'hui quinze ans; la
fille en a treize; à peine le père s'est-il occupé d'eux,
car après six ans de mariage il a quitté Joséphine; la
séparation a été prononcée; elle s'est retirée à l'abbaye
de Penthemont, rue de Grenelle, asile aristocratique où,
pour la première fois, elle a entrevu le monde et compris qu'elle n'était qu'une petite sauvagesse ignorante
et insociable. Ces années d'apprentissage n'ont-elles pas
été les plus douces de sa vie? Car, après, libre, mais
isolée, il lui a fallu élever ses enfants. Beauharnais, lui,
donnait dans les idées nouvelles; dès le début de la
Révolution, il se poussait, parvenait à la députation,
voire à la popularité, ayant le don de cette surabon-
dante et solennelle éloquence dont les Français étaient
alors engoués. Elle ne l'a revu qu'à l'époque de la
Terreur; ils se sont retrouvés en prison; l'échafaud a
pris le mari. Joséphine a échappé par miracle : et la
voilà lancée dans ce monde thermidorien, sans frein,
sans moralité, sans scrupules. Après toutes les grandes
crises, la société française est saisie d'une sorte de
prurit de jouissance; elle se rue sans choix au plaisir
pour oublier les heures sombres. La pauvre Joséphine
n'a pas su se soustraire à la contagion, et comment
l'aurait-elle évitée? Elle n'a jamais été heureuse, elle

est encore jolie, elle s'est affinée, elle sait plaire, elle aime la vie; — elle a eu si peur de mourir! La voilà, sans mentor et sans guide, parmi les coquettes du grand ton; elle fréquente chez Barras, le beau Directeur, auquel elle plaît et ne résiste pas; c'est chez lui qu'elle a rencontré ce petit Bonaparte, étrange personnage, très fruste, très novice, qui ne ressemble à personne. Il s'est épris d'elle, avec fougue : elle a cédé; voilà six semaines qu'elle est sa maîtresse : pourquoi l'épouse-t-elle? Elle ne sait pas; parce qu'il l'a voulu et qu'elle est indolente; son notaire qu'elle a consulté lui déconseillait cette sottise. Bonaparte n'a rien; elle n'est plus riche, et l'argent fond dans sa jolie main. D'ailleurs qui prend au sérieux ce mariage? Pas elle, bien sûr, ni aucun de ceux qui sont là : ne sera-t-elle pas toujours libre de divorcer? En tout cas ce petit Corse ne sera pas bien gênant : il part dans deux jours pour l'armée d'Italie que Barras lui donne comme cadeau de noces. Et puis, s'est-il ravisé? S'il allait ne pas venir...

De fait, le marié n'arrive pas : une demi-heure, une heure se passent, puis une autre : le rendez-vous était fixé à huit heures; il en est dix bientôt; Joséphine et ses témoins attendent encore; l'officier de l'état civil s'est endormi dans son fauteuil. Et tout à coup, on entend dans l'escalier un bruit de sabre heurtant les marches de pierre; la porte s'ouvre en coup de vent : Bonaparte est là; il amène son témoin, un jeune officier, presque un enfant; il secoue le magistrat qu'il réveille en sursaut : « Allons! Allons! mariez-nous vite! » Et le pauvre Leclercq, bien loin d'imaginer que cette minute de sa vie le voue à l'immortalité, ânonne l'acte rédigé d'avance, dont aucun des assistants n'écoute la lecture et où tout, à peu près, est faux : le marié se vieillit,

la mariée se rajeunit, les noms y sont estropiés, le
témoin de Bonaparte, son aide de camp, Le Marois, n'a
pas l'âge requis, et Bonaparte lui-même est déclaré
sans domicile autre que le salon de mairie où est signé
cet acte extravagant. Cette formalité remplie, Bonaparte
monta dans la voiture de sa femme et se rendit avec
elle à la petite maison de la rue Chantereine qu'elle
habitait seule depuis sept mois.

*

Le surlendemain il partait pour Nice où il allait
retrouver son armée et commencer le fabuleux voyage
qui devait se terminer à l'île de Sainte-Hélène, vingt-
cinq ans plus tard. Joséphine, elle, reste à Paris, bien
résolue à ne point renoncer à la vie libre que les
mœurs faciles de ce temps autorisent, d'autant moins
soucieuse de l'absence de son mari que, avec son instinct de femme experte aux choses de l'amour, elle se
sait adorée de ce jouvenceau qui en est, lui, à sa première passion. Quelles lettres il lui écrit! Quels cris de
rage amoureuse arrache l'éloignement à son cœur neuf
et déchiré : « Ma Joséphine!... Tourment, bonheur,
espérance, âme de ma vie!... Jamais femme ne fut aimée
avec plus de dévouement, de feu et de tendresse!...
... Mille poignards déchirent mon cœur... Je ne puis rien
sans toi; je conçois à peine comment j'ai existé sans te
connaître!... » Et il retrouve le mot de Phèdre pour
exprimer la terreur jalouse qu'elle lui inspire : « Tu
es pour moi *un monstre* que je ne puis expliquer! »
Et ce sont des cajoleries, des douceurs, des enivre-
ments de collégien; il lui raconte ses rêves, — il l'appelle, il la conjure de venir le rejoindre; tout à coup,

il imagine qu'elle est malade; il lui expédie un courrier, qui de Tortone à Paris doit faire, à franc étrier,
la longue route sans s'arrêter, rester quatre heures
auprès d'elle, et repartir aussitôt pour rapporter
des nouvelles. L'histoire doit conserver le nom
de cet intrépide messager d'amour; il s'appelait Le
Simple.

Ah! tout cela ne la touche guère : « Il est drôle,
Bonaparte », dit-elle à ses amis; elle répond à ses
lettres brûlantes par de petits billets de quatre lignes,
en femme pressée, qui n'a pas le temps de s'attarder à
ces bagatelles. Qu'a-t-elle à faire? Rien. Ce que font à
Paris les coquettes; toutes ses heures sont prises par les
papotages, les visites, la toilette, les essayages, les inter-
minables pourparlers avec les modistes et les coutu-
rières; c'est Barras qui semble être encore le maître
de sa vie : elle lui écrit, le voit tous les jours; il la
conseille en ami utile et puissant. Un jour, il lui fait
comprendre qu'elle doit céder à son mari et partir
pour Milan, où celui-ci la réclame. Eh! quoi, quitter
Paris? Quelle corvée! Si jamais elle a regretté la sottise
qu'elle a faite en épousant ce trépidant Bonaparte,
c'est bien au moment où, mise en berline, elle sort
des barrières et commence à rouler sur l'interminable
route qu'elle doit parcourir. Lui, là-bas, trépigne d'impatience : ses soldats, la guerre, sa gloire, Millesimo,
Mondovi, Lodi, rien ne compte pour lui que sa Joséphine qu'il va revoir. C'est à Brescia qu'ils se ren-
contrent, elle, « morte » de cet affreux voyage,
« morte » de l'ennui, de la fatigue, de ce trimbalage
forcé, si loin de la rue Chantereine, lui tout bouillant
d'amour inassouvi et insatiable. Comme il la trouve
belle; combien de plus jolies, de plus jeunes surtout ont

cherché à lui plaire; il les a repoussées, presque ru-
doyées : — aucune, dit-il, ne ressemblait à ma Joséphine; aucune n'avait « cette physionomie douce et
mélodieuse qui est si bien gravée dans mon cœur ».
S'il la quitte pour rejoindre son armée, il se lamente :
chacune de ces fugues est marquée d'une victoire, Castiglione, Rivoli, Arcole, dont le retentissement exalte
l'Europe entière; le triomphateur ne pense qu'à retrouver sa Joséphine : « Je ne me suis jamais tant
ennuyé que dans cette vilaine guerre-ci », dit-il. Elle
supporte ces transports avec une impatience bien dissi-
mulée, car elle est fine et complaisante; mais elle confie
ses tristesses à ses amies de Paris; à la tante Renaudin
elle écrit : « Tous les princes d'Italie me donnent des
fêtes; eh bien, je préfère être simple particulière en
France. » Cette Italie, qu'elle visite, espérant y trouver
quelque distraction, l'assomme; combien elle aimerait
mieux être encore rue Chantereine, parmi les Parisiens et les Parisiennes qui lui parleraient de ce qui
l'amuse, de la pièce en vogue, des modes nouvelles,
de ce qui « se dit » et de ce qui « se porte »... Elle
finit pourtant par rencontrer, dans cette fastidieuse et
triomphatrice randonnée, quelqu'un auquel elle s'intéresse : c'est un jeune capitaine, nommé Charles, petit,
bien fait, de joli visage, gai, vivant, ne parlant qu'en
calembours et « faisant le polichinelle ». Tandis que
Bonaparte est à l'armée, Charles est le commensal pré-
féré de Joséphine : celui-ci au moins est distrayant; il
sait tous les racontages de Paris, c'est un « boute-en-
train », un « drôle de corps ». Avec lui, elle rentrera
en France; elle continuera à le recevoir quand Bonaparte sera en Egypte; elle l'admettra encore dans son
intimité, au scandale de ses paysans, lorsqu'elle aura

acheté, sans savoir comment elle le paiera, le château de la Malmaison.

C'est au désert, devant El-Arich, que Bonaparte apprit de Junot l'infidélité de sa femme. Sa fureur, terrifiante, s'exhalait en cris entrecoupés : « Joséphine!... Et je suis à six cents lieues!... M'avoir ainsi trompé!... Le divorce! Un divorce public, éclatant!... Malheur à eux!... J'exterminerai cette race de freluquets et de blondins!... » Et quand, à la fin de cette année-là, il rentra dans la France enthousiaste; quand, salué comme un sauveur, il eut traversé tout le pays, de Fréjus à Paris; quand, résolu à demeurer impitoyable, il ferma sa porte à Joséphine en larmes; quand elle eut passé une nuit presque entière à sangloter, implorant son pardon; quand, au moment où, lasse de gémir, elle renonçait à le fléchir, Bonaparte, à bout de forces, ouvrit sa porte, et tendit les bras; elle s'y jeta toute frémissante... C'est de ce jour-là qu'elle l'aima.

*

Elle s'associa si bien à sa fortune, elle mit avec tant d'art, au service de son ambitieux époux, ses relations de société, son expérience du monde, son tact affiné de coquette et sa générosité native; elle lui rallia tant d'indifférents et lui ramena tant d'ennemis, qu'il serait injuste de ne point reporter à cette femme adroite et séduisante, une part de la popularité dont bénéficia le couple impérial jusqu'à l'apogée du règne. Le peuple de Paris disait d'elle : « Elle est son bon ange »; et Napoléon n'était pas éloigné de le croire. Sans doute elle ne fut pas une Lucrèce; mais qui oserait se montrer sévère à l'égard de cette aimable femme lancée, sans guide, dans ce monde étrange de la Révolution qui avait bouleversé les mœurs et élargi les consciences? Sans doute aussi elle était outrageusement dépensière, semblable à ce fils de Mme de Sévigné dont la divine marquise disait qu'il avait trouvé le moyen « de perdre sans jouer et de payer sans s'acquitter ». Les jolies mains de Joséphine étaient « des creusets qui fondaient l'argent ». Elle achetait sans besoin, — non seulement lorsqu'elle fut impératrice, mais avant même le 18 Brumaire, — elle entassait dans ses coffrets et dans ses armoires des parures et des bibelots de grande valeur qu'elle ne regardait jamais, l'inventaire de sa garde-robe révèle l'existence de trois à quatre cents châles de l'Inde dont elle faisait des housses de meubles ou des coussins pour son chien. Il n'y a pas de légende plus fantastique, de roman plus extraordinaire que la vie de Joséphine, et, par surcroît, nul récit n'est, plus que celui-là, réconfortant pour le pauvre monde : il enseigne que, malgré les prodiges de sa destinée, malgré les millions qui passèrent par ses mains, l'Impératrice ne fut jamais riche et ne connut pas le bonheur. Certes, « les satisfactions » ne lui manquèrent pas; mais combien fugitives et mêlées de quelles angoisses! Quand elle, la petite sauvagesse des Iles, la triste recluse du sombre hôtel de la rue Thévenot, l'ex-détenue des prisons de la Terreur, prit, en maîtresse, possession des Tuileries, quand elle vit son fils vice-roi d'Italie et sa fille reine de Hollande, quand elle s'inclina sous l'onction du pape venu tout exprès de Rome pour la sacrer souveraine, quand elle sentit la couronne impériale posée sur son front par ce mari que naguère son notaire lui avait conseillé de ne pas épouser, le vulgaire était en droit de penser : « Qu'elle est heureuse! » — et bien des reines envièrent son invraisemblable fortune. Hélas! qu'elle la payait cher et de quelles anxiétés la devait-elle acheter!

Ses jalousies de femme, d'abord, auxquelles l'Empereur ne fournissait que trop de motifs passagers. Ah! comme elle devait regretter l'indifférence témoignée jadis à cet amoureux plein de fougue qu'elle avait inconsidérément désespéré; de quels yeux elle devait les relire, ces lettres brûlantes jadis reçues d'Italie et qu'elle n'avait alors parcourues que négligemment! Et puis, à mesure qu'il grandissait et que son Empire étendait ses tentacules sur l'Europe, elle se sentait distancée; elle lui plaisait encore, car, à force d'art, elle restait, malgré la quarantaine — et plus —, jeune et souple d'allure; elle gardait le regard charmant, la bouche fort petite, cachant avec adresse de mauvaises dents; sa démarche était noble, aisée et nonchalante. Mais Joséphine savait qu'elle ne serait plus mère, et c'était là l'affreux et incessant tourment de ses jours et de ses nuits. L'Empereur ne devait-il pas à ses peuples un héritier de son sang! Et la malheureuse, dès avant le couronnement, redoutait l'ordre fatal qui devait briser sa vie. Semblable à un condamné qu'on laisserait vivre le cou sous le couteau, elle le lisait, cet arrêt de mort, dans les yeux de tous ceux qui avaient attaché leur sort à celui de Napoléon et tenaient à la perpétuité de sa dynastie. Elle le lisait aussi dans les silences et dans les expansions de l'Empereur, qui, tantôt morose et taciturne, semblait se détacher d'elle, tantôt, agité et tendre comme autrefois, la pressait sur son cœur en disant : « Ma pauvre Joséphine, je ne pourrai jamais me séparer de toi! »

Elle fut prononcée enfin, la terrible sentence, et ce

fut le 15 décembre 1809. Il avait été décidé que, devant
la cour assemblée, Joséphine lirait elle-même sa renonciation à la couronne. Dans le grand cabinet de l'Empereur toute la famille impériale, tous les hauts digni-
taires, sont réunis; la salle du trône se remplit des
grands officiers, des maréchaux, des dames d'honneur :
après un quart d'heure d'attente, l'Empereur fait introduire l'archichancelier et le secrétaire de la Maison
Impériale, Regnauld. Il prononce quelques mots; puis
c'est à Joséphine de parler : elle tient en main la déclaration qu'elle va lire, écrite de sa main sur le petit
papier à lettres qui lui est habituel. Elle commence :
« Avec la permission de notre auguste et cher époux,
je dois déclarer que, ne conservant aucun espoir d'avoir
des enfants qui puissent satisfaire les besoins de sa politique et l'intérêt de la France, je me plais à lui donner
la plus grande preuve d'attachement et de dévouement
qui ait jamais été donnée sur la terre... » Mais ici ses
larmes l'étouffent, elle suffoque. Regnauld prend le
feuillet et continue la lecture... Il a été conservé ce
papier; on le voit au musée des Archives nationales, et
on ne peut considérer sans émotion ces quarante petites
lignes de griffonnage qui à de si beaux yeux ont coûté
tant de larmes. Le lendemain, c'est « l'exécution »; elle
doit quitter, à deux heures de l'après-midi, les Tuileries
où elle ne rentrera plus. Sous le péristyle de l'escalier
de Flore sont arrêtées les voitures où l'on entasse le
déménagement; des caisses, des meubles d'usage, des
cartons de robes et de chapeaux, les bibelots intimes,
deux chiens, un perroquet. Joséphine erre dans les
chambres de son appartement impérial d'où elle est
« chassée » et qu'une autre occupera bientôt. Le passé,
que tant d'angoisses ont troublé pourtant, lui apparaît

maintenant enchanteur : tout lui rappelle là des heures
d'enivrement qui, parce qu'elles sont abolies, lui
semblent avoir été délicieuses. Tandis qu'elle revoit
pour la dernière fois ce décor familier, les yeux gros de
larmes, une porte s'ouvre, l'Empereur entre : Joséphine,
sanglotante, s'abat sur sa poitrine; il l'embrasse à plusieurs reprises « très tendrement », il la soutient, elle
s'évanouit; quand elle revient à elle, il n'est plus là;
son secrétaire Méneval annonce qu'il est parti pour
Trianon. Alors, à Méneval, elle adresse ses recommandations; il faudra dire ceci, ne pas oublier cela, minuties qu'elle prolonge pour gagner quelques instants,
une minute, des secondes... On pense à la malheureuse
criant : « Encore un moment, monsieur le bourreau! »
Il faut pourtant franchir cette porte au-delà de laquelle
elle ne sera plus rien; elle part, elle descend les degrés
de cet escalier de Flore que tant et tant de ses courtisans ont gravi; Méneval la soutient jusqu'à la voiture : une belle voiture, toute dorée et drapée à lourdes
crépines, qu'on appelle l'*Opale* et qui est aujourd'hui
conservée au musée de Trianon; le marchepied est
haut de quatre marches; on songe, en le voyant, aux
marches de l'échafaud... Enfin, vers cinq heures, c'est
fini : l'*Opale* roule vers la Malmaison; là, tout l'attriste
et la déchire; le ciel est sombre, il pleut à verse; il
semble que toute la nature pleure avec la proscrite.

L'Empereur a réglé magnifiquement le sort de sa
première épouse : elle sera toujours l'Impératrice; elle
aura sa maison et sa Cour; il lui a donné pour demeure,
à Paris, le Palais de l'Elysée, et, comme résidence d'été,
la Malmaison; il lui a attribué un revenu annuel de
deux millions; il a payé ses dettes : deux millions
encore; il lui fera don bientôt de la terre et du château

de Navarre, près d'Evreux; son service et sa livrée
seront dignes d'une reine : une grande maîtresse, un
grand aumônier, deux chapelains, deux dames d'honneur, un premier chambellan, un premier écuyer, un
intendant, un chevalier d'honneur, quatre dames du
palais, cinq chambellans, quatre écuyers, un médecin,
un chirurgien, un pharmacien, un maître de chapelle,
des musiciens, deux huissiers, six valets de chambre, une
lectrice, un guide d'atours, quatre femmes de chambre,
vingt-neuf hommes pour « la Bouche », trois femmes
pour « la lingerie », quatorze hommes pour « le chauf-
fage et l'éclairage », deux portiers, vingt et un valets de
pied, quatre pages et tout le service des piqueurs et de
l'écurie composée de soixante chevaux. Mais cette nuée
de serviteurs supporte malaisément l'exil : quel
héroïsme de lier son sort à celui de cette déchue qui,
bientôt, n'aura plus aucune influence, tandis qu'on
pourrait être auprès de « la nouvelle » dont les mains
répandront les faveurs! On s'ennuie autour de Joséphine : elle-même languit du bannissement auquel elle
est condamnée; elle est reprise de sa nostalgie dè Paris;
elle y voudrait vivre, habiter l'Elysée qui est à elle; on
lui fait comprendre que l'éloignement est préférable :
on est à la fin de l'hiver 1810 et celle qui lui doit suc-
céder va prendre possession de son trône. Que Joséphine se réfugie à Navarre, qu'elle s'installe dans ce
domaine superbe, plus tard, on verra. Navarre est
superbe en effet, mais inhabitable : il pleut dans les
chambres, les bois sont sinistres, le parc est immense
mais c'est un marais. On permet quelques semaines de
Malmaison au printemps; mais on conseille fortement
un séjour à Aix-en-Savoie; et désormais, telle sera la
vie de l'impératrice dépossédée : elle va errer, suivant

les ordres de l'Empereur, inspirés peut-être par le
caprice jaloux de l'*Autrichienne*, de villes d'eaux en
villes d'eaux, à Milan, à Genève, à Prégny, à Navarre,
trop heureuse lorsqu'on lui permet de séjourner momentanément à la Malmaison. Quant à Paris, son cher
Paris, il n'y faut pas songer : même on lui a retiré
l'Elysée pour lui donner en compensation le château de
Laeken, près de Bruxelles! A ces déplacements conti-
nuels les dévouements se lassent; la Cour de Joséphine
s'égrène; les subalternes même ne cachent pas leur déception et leur mécontentement, et cela s'accentuera à
mesure que l'oubli se fera sur la ci-devant vicomtesse
de Beauharnais et que l'intérêt se détournera d'elle : à
part quelques méritoires exceptions, deux êtres seulement lui demeureront indissolublement et admirable-
ment fidèles, son fils Eugène et sa fille Hortense.

Et tout à coup un revirement nouveau s'opère dans
sa fortune. L'Empereur est tombé. L'Autrichienne lui
a porté malheur. Les troupes étrangères campent dans
Paris. Joséphine qui, déjà, depuis son divorce, et malgré
la riche dotation dont elle dispose, s'est, de nouveau,
largement endettée, Joséphine prend peur. Que va-t-elle
devenir? Son riche douaire s'évanouit avec le régime :
les Bourbons restaurés ne vont-ils pas lui reprendre les
châteaux dont elle dispose? Où ira-t-elle? Comment
vivre? Cette existence de miracle finira-t-elle dans quelque hospice? Mais non; du fait qu'elle a été reniée par
l'usurpateur honni, qu'elle fut une victime de son ambition, Joséphine est adoptée par la Restauration et par
les alliés. Soit déférence, soit curiosité peut-être pour
cette femme associée à la prodigieuse aventure, cauchemar de l'Europe depuis un quart de siècle, le Tsar
fait visite à la Malmaison; le roi de Prusse et ses fils,

après eux tous les princes étrangers, s'y présentent, Prussiens, Anglais, Russes, Allemands. Les Bourbons eux-mêmes se montrent accueillants : ils lui ont fait entendre qu'elle garderait Navarre, sa vie durant; on la laissera à la Malmaison : ne dit-on pas même que le comte d'Artois est venu lui offrir ses devoirs? Les roya-listes ont conservé le souvenir des services qu'elle a rendus aux émigrés malheureux, alors qu'elle était puis-sante. N'est-elle pas, d'ailleurs, l'une des leurs? N'a-t-elle pas subi, comme beaucoup de ceux qui reviennent, l'horreur des prisons de la Terreur? Elle se met à l'unisson : non sans quelque répugnance sa livrée prend la cocarde blanche. A sa table, on exalte les vertus de Mme la duchesse d'Angoulême. Fidèle à son désir de plaire, elle se dépense sans compter, séduit tout le monde, empereurs, rois, princes, gentilshommes revenus de l'émigration : son salon est le plus et le mieux fré-quenté, il est le seul, à vrai dire; le Tsar s'y montre deux fois par semaine; et jamais, même au temps de ses splendeurs, Joséphine n'a connu semblable succès. Bien plus, le roi Louis XVIII a manifesté le désir de la voir; et le 26 mai, elle est invitée, pour le saluer, à rentrer dans ces Tuileries d'où elle est sortie en larmes quatre ans et demi auparavant.

Elle n'y rentrera pas. Le 25, elle a été prise d'un mal de gorge : le 26, elle a la fièvre; le 27, les médecins s'inquiètent; le 28, l'agonie commence; le 29 Joséphine est morte.

Personne ne pensa à faire part du décès à Napoléon qui, en ces jours-là, prenait possession de l'Ile d'Elbe. C'est par un journal qu'il apprit la mort de *sa José-phine,* cher objet de son premier et de son plus fou-gueux amour.

L'INSTITUT D'ÉGYPTE

Aujourd'hui que tout Parisien, pour peu qu'il ait des loisirs, passe l'hiver au Caire, nous pouvons difficilement imaginer ce qu'était la mystérieuse Egypte dans l'esprit de nos casaniers ancêtres de la fin du XVIIIe siècle. Le pays des momies et des crocodiles restait certainement l'un des moins explorés du globe, quand le bruit circula, dans les derniers jours de 1797, que le gouvernement confiait au général Bonaparte la direction d'une expédition scientifique et militaire dans le Levant.

La première nouvelle en fut ébruitée par un brave homme de polyglotte, nommé Langlès, professeur d'arabe, de turc, de persan, de syriaque, de chinois, de sanscrit, de mandchou, et généralement de toutes les langues qui se parlaient dans la tour de Babel. Ce paisible savant vint un matin sonner à la porte du poète Arnault, l'un des familiers de la maison Bonaparte. Langlès était très effaré : il avait reçu du Directoire une lettre officielle lui annonçant qu'il était mis à la disposition du jeune vainqueur de l'Italie, lequel lui donnerait des instructions ultérieures. Or, pour bien des motifs, le professeur ne voulait pas quitter Paris.

Arnault courut chez Bonaparte, qui non sans humeur accepta de désigner en remplacement de Langlès l'orientaliste Jaubert. « Au printemps, dit-il à Arnault, nous ferons parler de nous; je désirerais emmener, indépendamment de vous, un poète, un compositeur de musique et un chanteur; proposez la chose à Ducis, à Méhul et à Lays. — Mais où les emmènerez-vous, général?... — Où j'irai... Qu'ils se fient à mon étoile. »

C'est sur cette invitation vague que commença le recrutement de l'institut d'Egypte. Ducis, d'ailleurs, s'excusa sur son âge; Méhul allégua son peu de goût pour les aventures; Lays prétexta qu'il avait peur des rhumes. Le poète Lemercier, pressenti à son tour, ne se résignait pas à quitter sa famille; Legouvé craignait la mer; un autre était amoureux. Arnault allait donc, cherchant un poète de rue en rue, de porte en porte, quand il rencontra sur le boulevard Parseval de Grandmaison, qui connaissait son embarras et s'offrit à l'en tirer. Il n'avait encore publié aucun poème; mais il récitait ses vers dans les salons avec succès et chaleur : il offrit d'être *le Camoëns du nouveau Vasco de Gama*. « Mais sais-tu où nous allons? lui demanda Arnault; je ne le sais pas, moi. — Vous allez en Egypte; tout le monde sait cela; je ne serai pas fâché de voir l'Egypte. — Demain je te rendrai réponse. » Et l'aventureux Parseval, apprenant le lendemain que Bonaparte l'acceptait pour compagnon, commença ses préparatifs en coupant sa belle chevelure poudrée à frimas, prévoyant qu'au moment du départ il n'aurait peut-être pas le courage de s'en séparer.

On ne parlait que des heureux désignés pour le voyage; l'Egypte tournait toutes les têtes; on ne savait pas où c'était, mais on avait envie d'y aller; des artistes,

d'anciens émigrés, des petits employés, des négociants
même, tous les oisifs, tous les désemparés rêvaient de ce
pays merveilleux : c'était une folie épidémique semblable à celle qui s'était saisie de nos aïeux à l'époque
des croisades. Un épicier disait à Parseval, dont il
enviait le bonheur : « J'étais né pour être Egyptien! »
Et comme Arnault, fort empêtré de l'affluence des solli-
citeurs, s'en ouvrait à Bonaparte : « Ne refusez personne, répondait celui-ci, adressez-les au général Du-
falga; c'est lui qui est chargé de la partie civile de
l'expédition; il trouvera bien le moyen d'employer ces
gens-là pour peu qu'ils soient propres à quelque
chose. »

On se mit en route un jour de mai, comme pour une
partie entre artistes. Dans la voiture de Regnault de
Saint-Jean-d'Angély avaient pris place, avec celui-ci, son
beau-frère Arnault et Parseval de Grandmaison. Le
vieux Denon, plein d'entrain, préférait accomplir jusqu'à Toulon le trajet à cheval; les autres l'appelaient
vieux parce qu'il avait cinquante ans. Pourtant dès les
premiers relais, Denon renonça à l'équitation et rejoignit ses camarades dans la berline.

De Lyon, on descend le Rhône en bateau; Denon
déjà a sorti son album et dessine; à Marseille, on fait
halte un jour; enfin on arrive à Toulon; la ville re-
gorge; on campe où l'on peut. Le général reçoit à l'intendance; on y court, on s'y bouscule, on défile en
cohue devant lui; il salue, ne dit mot, et voilà le premier déboire. En sortant de là, Denon est morose.
Comment, il a tout quitté pour suivre ce blanc-bec, qui
n'a pas trouvé une phrase aimable à lui adresser! Denon, habitué aux belles manières de l'ancien temps,
écume de colère; il renonce à l'expédition; ses malles

ne sont pas défaites; il va rentrer à Paris. Mais Arnault
le retient : un jour, un jour seulement; le général a
tant d'occupations; il sera plus aimable à la seconde
visite... Et le poète va à l'intendance, trouve le moyen
d'informer Bonaparte du dépit qu'éprouve Denon.
« Ramenez-le-moi », fait le général.

Le lendemain, Arnault reparaît, traînant Denon, re-
chignant; on défile de nouveau devant le chef de l'expédition; quand arrive le tour de Denon : « Ah! c'est
vous, citoyen Denon! Vous avez bien soutenu le
voyage? Vous vouliez le faire à franc étrier, à ce qu'on
m'a dit... Vous aimez donc à courir?... Nous vous ferons
faire du chemin. Le beau sabre que vous avez là! Il est
tout pareil au mien, je crois. Il est juste de la même
grandeur. Voyons donc... »

Dans ses charmants *Mémoires,* Arnault raconte comment, à peine hors de l'intendance, Denon fit porter
ses malles à bord de la *Junon,* et aussi comment lui,
Arnault, dut passer la soirée à calmer l'enthousiasme de
son camarade cherchant une occasion immédiate de
mourir pour cet homme de génie qui avait mesuré le
sabre d'Arcole et de Lodi avec le glaive inoffensif du
dessinateur, et les avait jugés tous deux de *même taille.*

Pourtant, d'autres déceptions attendaient les artistes;
dès le soir de l'embarquement, les militaires, sur le vais-
seau encombré, jugeaient qu'on aurait fort bien pu
laisser à terre ces fainéants: le général Lannes, mal logé,
apparemment, et voyant Arnault s'installer dans une
cabine, déclara que, s'il était le maître, il ferait jeter
ces savants à la mer par cinquante de ses grenadiers.
Tel fut le début des hostilités. Les officiers prenaient
leurs aises, choisissant leurs couchettes, au mépris de
l'ordre établi, et poussaient dehors les bagages des

civils déjà installés. Le pauvre Berthollet, chassé de
cabine en cabine, dut se résigner à dormir sur le pont
et Arnault ne trouva un abri que sous le lit de Duroc.
On se tassa tant bien que mal pourtant; les plaintes du
moins cessèrent; mais un duel sournois se poursuivit
entre ceux qui étaient parvenus à se caser confortable-
ment et les moins adroits, couchés sur la planche. On se
jalousait aussi selon le plus ou moins de faveur que
marquait à chacun le général; encore fallait-il s'observer et ne pas déplaire au médecin en chef de l'armée,
par exemple, qui, sous prétexte d'un air fatigué ou
d'une main un peu chaude, expédia au bateau-hôpital,
rempli de fiévreux, un passager, qui sans le connaître,
l'avait offensé. Et puis, il fallait avoir *le pied marin* si
l'on ne voulait prêter à rire : un jour Geoffroy Saint-
Hilaire tomba à l'eau et disparut; heureusement une
lame le ramena vers le navire; un marin le repêcha :
simple incident.

C'étaient là des distractions; on s'ennuyait mortellement; les militaires prenaient patience; mais les artistes et les gens de lettres pâmaient, loin de Paris,
comme des poissons hors de l'eau, et se demandaient
avec effroi comment ils supporteraient jusqu'au bout
l'aventure. Après douze jours de mer on était encore
en vue des côtes de Sardaigne, et il semblait que le
voyage dût être sans fin. Le général, à qui rien n'échap-
pait, résolut, pour distraire *ses savants*, de réunir *l'institut d'Egypte*. Lui-même, d'ailleurs, était oisif. Un jour,
il appelle Arnault. « N'avez-vous rien à faire? — Rien,
général. — Ni moi non plus. » Un mot, soit dit en passant, qu'il ne dut pas répéter souvent. Toujours est-il
qu'on décida de rassembler dans la soirée *l'institut* dans
l'entrepont autour de la table du conseil.

Ce premier soir, pour mettre la chose en train, on sortit Rousseau de la bibliothèque et l'on piqua au hasard. Dès le premier paradoxe on se récriait; la discussion était engagée, violente : il s'agissait de l'origine de la propriété. On n'en sortit pas; non plus le lendemain; ni, bien entendu, les jours qui suivirent. Exaspéré par ces vains bavardages, Junot s'écria : « Général, pourquoi Lannes n'est-il pas de l'institut? N'y devrait-il pas être admis sur son nom? »

On le fit taire; il feignit de s'endormir — ou s'endormit réellement. Ses ronflements sonores couvraient la discussion. « Qui est-ce qui ronfle ici? dit le général. — C'est Junot. — Réveillez-le. » On secoue Junot, qui le moment d'après ronfle de plus fort. « Réveillez-le donc! Qu'as-tu à ronfler ainsi? — Général, c'est votre fichu institut qui endort tout le monde excepté vous! — Va dormir dans ton lit! — C'est ce que je demande! » Et Junot, profitant de ce congé qu'il espérait définitif, ne reparut plus aux séances.

Arnault, auquel, pour qu'il pût vivre, étaient nécessaires l'air de la rue Saint-Honoré et les coulisses de la Comédie-Française, Arnault, sous prétexte d'administrer Malte, se fit mettre à terre dès la première escale et reprit, non sans malencombres, la direction de Paris; de sorte qu'il ne sut jamais que par ouï-dire comment avait continué à fonctionner l'institut d'Égypte, dont il était un peu le fondateur responsable.

MARIANNE PEUSOL

Ils étaient trois, escortant, vers quatre heures du soir, comme le jour baissait, le 24 décembre — 3 nivôse — 1800, une misérable charrette à deux roues, que traînait un vieux cheval noir. Tous trois portaient sur leurs vêtements des blouses bleues, absolument pareilles : — l'un, jeune homme chétif, de très petite taille, aux joues maigres, à mine joviale, au nez long, un peu « en trompette », marchait, tenant le cheval par la bride; — l'autre, assez grand, mince, d'allure distinguée, visage effilé, des yeux mi-clos de myope, allait, surveillant la bâche qui dissimulait entièrement le chargement de la voiture, la ramenant avec soin quand quelque cahot la dérangeait; — le troisième, trapu, brun de peau, les yeux caves, de tournure commune, suivait à quelques pas, avisant les pierres rencontrées en cours de route; quand il en trouvait une de bonnes dimensions, il la ramassait, la glissait sous la bâche que son camarade rabattait aussitôt, évidemment préoccupé qu'on n'aperçût rien du chargement mystérieux. On les vit passer rue de Cléry, puis traverser la place des Victoires, s'enfoncer dans les rues populeuses conduisant à la place du Carrousel, non pas vaste, régulière et dégagée comme elle l'est aujourd'hui, mais rétrécie par tout un quartier de vieilles et hautes maisons, percé de ruelles tortueuses qui servaient d'avenues au palais des Tuileries, demeure du Premier Consul.

Arrivés rue Saint-Nicaise — un boyau qui prolongeait la rue de Richelieu — les trois hommes firent halte et se concertèrent quelques instants. Le grand poussa jusqu'à l'angle de la rue, d'où l'on apercevait le palais, dont toutes les fenêtres, la nuit étant venue, s'éclairaient; le petit examinait la rue, cherchant un endroit sombre où il pourrait ranger sa charrette; le troisième, en prenant soin de ne pas soulever la bâche, déchargeait ses pierres et en faisait un tas sur le pavé. Quand le premier, qui paraissait diriger l'étrange convoi, eut terminé son exploration, ils causèrent tous trois durant quelques instants, paraissant discuter; puis, le grand s'éloigna de nouveau, en quête de quelqu'un ou de quelque chose : c'était le chevalier de Limoëlan, gentilhomme breton, surnommé *Pour le Roy;* le petit homme à mine joviale s'appelait Saint-Régent, chouan redoutable; l'autre, Carbon, avait acquis dans les guerres civiles une réputation méritée d' « attaqueur de diligences ». Tous trois venus à Paris pour assassiner le Premier Consul, menaient, sous la bâche de leur charrette, un baril rempli de poudre bien tassée — de quoi secouer et jeter bas une forteresse. Bonaparte devait, ce soir-là, paraître à l'Opéra, situé rue de Richelieu, et passer, pour s'y rendre, par la rue Saint-Nicaise; les trois compères disposaient les choses pour qu'il n'allât pas plus loin.

Personne, du reste, ne faisait attention à eux; la rue était très animée; mais les passants, comme les habitants du quartier, s'apprêtait à fêter le renouveau du réveillon, vieille tradition abolie et regrettée depuis sept ans. Derrière les glaces du café d'Apollon, occupant le rez-de-chaussée et le premier étage de la maison d'angle, de nombreux clients s'attablaient, sous le regard engageant d'une limonadière élégante; à la devanture d'un culottier, une jeune femme travaillait à l'aiguille près du berceau où dormait un nouveau-né; dans la boutique du chapelier Ometz, une jolie fille, en jupe de nankin rayé, paraissait toute joyeuse; et partout, chez le perruquier Vitry, chez le costumier Buchener, chez l'horloger Lepeautre, chez le marchand de vins Armet, il y avait des gens contents de vivre... Les trois chouans combinaient leur coup, divergeant d'opinion sur la façon dont ils braqueraient leur effroyable machine de mort.

Limoëlan était revenu, ayant trouvé ce qu'il cherchait; il avait dû aller jusqu'au quai de la Seine, passer le pont Royal; à l'entrée de la rue du Bac, apercevant deux fillettes vendeuses de petits pains, il venait d'embaucher l'une d'elles « pour tenir son cheval », et il la ramenait, tout heureuse de l'aubaine — quelques sous à gagner. C'était une petite pauvresse de quatorze ans, vêtue de loques, un mouchoir sur la tête. Saint-Régent lui donna son fouet et lui recommanda de ne pas quitter le cheval que, durant l'absence de Limoëlan, il avait tourné face au mur, pour que la charrette obstruât un bon tiers de la largeur de la rue; le tas de pierres tirées de sous la bâche par Carbon encombrait l'autre côté. La consigne de la fillette était de veiller à ce que le cheval ne changeât pas de position : d'ailleurs, il dormait, jambes molles, tête basse entre les brancards.

Tout ceci commençait à intriguer les boutiquiers de

la rue. Qu'attendait cette carriole surveillée par trois
inconnus toujours en mouvement? Dans l'endroit
sombre où elle était, on distinguait mal l'enfant qui la
gardait : — un garçon déguisé? une fille? un petit paysan? Postée à la tête du cheval, la petite passait le
temps à jouer avec son fouet. Quelqu'un remarqua
qu'un des « particuliers » allait incessamment jusqu'à
la grille des Tuileries et revenait à la charrette dont il
faisait le tour en parlant à la gamine, pour lui faire
prendre patience, probablement. La nuit était bru-
meuse, le temps maussade; les passants marchaient vite,
plus nombreux à l'approche de huit heures, car il y
avait concert à l'hôtel de Longueville, tout voisin. Sou-
dain, du côté des Tuileries, un grand bruit de voitures
roulant sur le pavé; dans la rue Saint-Nicaise, on s'appelle, on s'arrête, les fenêtres s'ouvrent, des gens se
penchent : le voilà! — Le cortège de Bonaparte approche : quatre grands carrosses allant à toute allure.
D'abord c'est l'escorte, les beaux grenadiers à cheval de
la garde consulaire; au grand trot, ils s'engagent dans
l'étroite rue Saint-Nicaise, précédant la première voiture où l'on devine, derrière les vitres embuées, la face
sérieuse du héros, avec lequel sont trois généraux. Cela
arrive en tourbillon; quelques cris de « Vive Bonaparte! » La fillette au fouet, plaquée contre le mur,
contemple, ébahie, les beaux cavaliers; près d'elle, le
petit jeune homme à mine joviale fourgonne fiévreuse-
ment sous la bâche et s'écarte brusquement... Un formidable coup de tonnerre, une subite et aveuglante
lueur, aussitôt éteinte, une grêle de pierres, de vitres
brisées, de tuiles, d'ardoises, de plâtras, un assourdis-
sant fracas de cris d'épouvante, de hurlements de douleur, d'appels angoissés, dans la bousculade des gre-

nadiers qui foncent, sabre au clair, des chevaux qui
renâclent, s'acculent, se heurtent, glissent, tombent — à
peine vingt secondes de tumulte et d'affolement... La
voiture du consul a passé; elle est loin; les trois autres
se sont arrêtées à l'entrée de la rue, et, tout de suite,
une foule de gens qui fuient, d'autres qui accourent en
remous turbulents, voulant savoir... Des morts étendus,
des blessés qui se traînent, geignant : la limonadière
du café d'Apollon, la femme du culottier et son enfant,
la jolie rieuse en jupe de nankin, tous les gens heureux
de l'instant précédent, déchiquetés, noircis, tordus, sai-
gnants. Un morceau de chair nue dans le ruisseau :
c'est la fillette, la peau du visage arrachée, le crâne
ouvert, plus de bras : l'un a été projeté à trente mètres
de là; l'autre est « sur la corniche d'une maison d'en
face »; du cheval qu'elle surveillait, il reste la tête et un
côté du poitrail auquel pend un bout de collier bourré
de paille; de la charrette, rien, qu'une jante et un frag-
ment d'essieu qu'on retrouvera plus tard sur le toit de
l'hôtel de Longueville. Les trois particuliers n'étaient
pas au nombre des morts. Ils avaient disparu.

Peut-être ne les aurait-on jamais retrouvés sans le
hasard qui avait affilié à leur complot l'innocente
enfant dont le destin tragique suscita une émotion una-
nime. Le premier soin de Fouché, alors ministre de la
police, fut d'identifier cette pauvre petite : le corps
était méconnaissable; de ses vêtements, on n'avait pas
retrouvé le moindre chiffon; l'ordre fut donné de rechercher au plus vite quelle pouvait être l'inconnue
« sacrifiée par les scélérats ». Dès le surlendemain, se
présentait à la préfecture une veuve Peusol, marchande
de petits pains, demeurant rue du Bac. Elle venait réclamer sa fille, sa petite Marianne, qui n'était pas

MARIANNE PEUSOL 49

rentrée depuis le soir de l'attentat. Elle en donna le
signalement : quatorze ans, les cheveux rouges, le nez
gros, les yeux louches, très marquée de petite vérole, et
vêtue d'une jupe de toile à raies bleues et blanches,
d'un casaquin de laine grise, un mouchoir bleu sur la
tête. Elle vendait des petits pains dans les rues, et
« justement, ce soir-là, on l'avait envoyée en commission de ce côté-là ». C'est sur cette piste vague que
partit Fouché, conduisant avec une magistrale habileté
l'enquête policière la plus ténébreuse et la plus héris-
sée d'obstacles. On a souvent conté, et dernièrement
encore M. Jean Lorédan avec une profusion de détails
très émouvants, cette chasse à travers Paris des farouches
chouans de Bretagne par les plus experts agents de
Fouché, on comprend pourquoi cet imbroglio dramatique passionna les contemporains, qui pourtant devaient être quelque peu blasés.

Le bas peuple, les femmes surtout, maudissaient les
assassins, non point pour l'attentat contre le Premier
Consul : ça rentrait dans la politique, et on en avait
tant vu!... Ce qu'on n'excusait pas, c'était l'horrible mort
de Marianne Peusol, impitoyablement associée à des
haines dont elle ignorait tout. Lorsque, au procès de
Saint-Régent et de Carbon, arrêtés après d'invrai-
semblables épisodes, parut, tout eu larmes la veuve
Peusol, un murmure de compassion courut dans
la salle du tribunal criminel. Dans un silence an-
goissé, on écouta les réponses de la mère aux questions
du président : « Déclarez aux citoyens jurés les faits
qui sont à votre connaissance. — Je n'ai rien à ma
connaissance, sinon que ma fille, passant rue Saint-
Nicaise, il m'a été dit par différentes personnes qu'on
lui avait donné douze sous pour garder une voiture...

— Vous a-t-on représenté votre fille? — On n'a pas
voulu. On l'a montrée à mon frère. — N'avez-vous pas
entendu dire que ses membres avaient été dispersés? —
Oui, citoyen. » On emmena la malheureuse, que toute
l'assistance considérait avec pitié; et quand, condamnés
à mort, les deux chouans furent conduits à l'échafaud
de la Grève, c'est encore en souvenir de la petite Peusol que la foule les salua de huées et d'imprécations.

   Limoëlan ne fut jamais pris. Passé clandestinement
en Amérique, écrasé par les remords, il entra dans les
ordres, et devint, sous un nom d'emprunt, l'aumônier
d'une congrégation religieuse. Il vécut là, dans les pra-
tiques de la plus austère piété, jusqu'en 1826, et ne
reparut jamais en France. Quand revenait la nuit de
Noël, il la passait tout entière prosterné devant l'autel.
Les fidèles admiraient la dévotion de ce saint prêtre,
dont la vie, à coup sûr, avait été exemplaire... Lui, le
front sur les dalles, revivait les minutes tragiques de la
nuit du 3 nivôse, et implorait, sans nul doute, le pardon
de l'innocente enfant qu'il avait prise par la main pour
la conduire à la mort.

ÉLECTIONS

Ça ne les préoccupait pas beaucoup, il y a cent huit ans, *le secret du vote!*

Le 20 floréal an X était promulgué un arrêté des consuls, signé Cambacérès, portant que le peuple français allait être consulté sur cette question : *Napoléon Bonaparte sera-t-il consul à vie?* Le lendemain cet arrêté était placardé dans Paris; des groupes se formaient autour des affiches; un policier notait dans son rapport : « On observe ces groupes avec soin. » D'ailleurs l'opinion unanimement émise était favorable; bien des gens, après avoir lu, disaient « avec effusion de cœur » : « Tout ce que la France peut offrir au premier consul est et sera toujours au-dessous de ce qu'il a fait pour elle. »

Le 22 floréal commençaient les opérations du vote; au secrétariat de la préfecture de police, dans chacune des mairies, au greffe de chacun des tribunaux, deux registres étaient déposés : l'un était destiné à recevoir les signatures des électeurs partisans de la nouvelle mesure; sur l'autre devaient écrire leurs noms ceux qui la repoussaient. Comme on en peut juger, le procédé n'avait rien de particulièrement discret. Je ne sais pas de quelle façon il serait apprécié aujourd'hui; mais en l'an X la chose n'étonnait pas, et les gens se déclaraient satisfaits. La police se mêlait aux files d'électeurs qui se présentaient pour s'inscrire et recueillait soigneusement les propos. « On n'a pas entendu un mot, déclarent les agents, qui ne fût l'éloge du premier consul. »

A défaut d'autres qualités, ce mode de scrutin était simple et pittoresque, ainsi qu'on peut s'en rendre compte en feuilletant les précieux volumes, abondant en traits amusants, publiés par Aulard, pour servir à l'histoire de l'esprit public à Paris. Le premier jour, 613 citoyens votèrent à la préfecture de police; 612 posèrent leur signature sur le registre *pour;* un seul, — ça ne devait pas être un fonctionnaire, — réclama le registre *contre,* et, sur la page blanche, écrivit courageusement son nom.

Le lendemain, le total des *oui,* à la préfecture, s'élevait à 1.239; un deuxième citoyen était venu apposer, sur le registre des *non,* sa signature, et cet indépendant fut aussitôt l'objet d'un rapport. Il s'appelait Lussan, était officier de santé, et habitait l'hôtel d'Auvergne, rue d'Orléans-Saint-Honoré. Il avait ajouté à ces indications *qu'il était dévoué au premier consul.* Peut-être ce brave homme s'était-il tout simplement trompé de registre... Plusieurs agents de change, votant *oui,* avaient émis, comme vœu additionnel, la proposition que Bonaparte pût désigner son successeur. Ceux-ci *avançaient* un tout petit peu.

Bien des électeurs, en effet, enjolivaient leur vote d'une sentence patriotique, d'un aperçu ingénieux, même d'une réflexion badine, profitant de l'occasion pour donner des conseils au gouvernement ou faire

montre de leur attachement aux institutions établies.
Ainsi, un enthousiaste complétait son acceptation par
le souhait de voir le traitement du premier consul
porté à douze millions. Un autre, le citoyen Tyran,
ingénieur des ponts et chaussées, rue de la Michodière,
n° 3, votait *pour la gloire entière du premier consul
à vie,* et ajoutait : *Puisse le prix du pain modéré,
régulateur de la paix à l'intérieur, avoir lieu!* Un soldat invalide, renvoyé dans ses foyers, s'installa devant
le registre et s'occupait à y recopier une fort longue
tirade en vers qu'il avait préparée et où il se plaignait de son triste sort. On lui fit observer qu'il faisait
attendre plusieurs citoyens désireux de signer simplement leur nom; le vieux militaire se retira, n'ayant eu
le temps que de calligraphier ce premier hémistiche :

> Soldat estropié...

On ne connaîtra jamais le reste.
Emile-Auguste Dossion, acteur du Vaudeville, montra
plus de dextérité et réussit à se décharger de cet *im-
promptu,* longuement travaillé, sans nul doute :

> Puisse Napoléon vivre autant que Nestor!
> Puisse autant que ses jours durer mon existence!
> Lui, pour me rendre l'âge d'or,
> Moi, pour chanter sa bienfaisance.

Tous les électeurs ne disposaient point d'une lyre
aussi sonore; beaucoup, cependant, jugeant que la
simple prose, si éloquente fût-elle, ne parviendrait pas
à exprimer convenablement la chaleur de leurs sentiments, faisaient de louables efforts pour se servir de ce

qu'on est convenu d'appeler *la langue des dieux*. Tel
le citoyen Maillan, lieutenant de la 13ᵉ division, qui
écrivait :

> De tous les cœurs français, oui c'est l'envie
> Qu'il soit nommé premier consul à vie.
> Bonaparte, nom cher à la mémoire,
> Tout retentit de tes vaillants exploits;
> Il est écrit au temple de la gloire
> Que tu sauvas les Français aux abois.

C'étaient des élections gaies. Les opposants, très peu
nombreux, étaient généralement beaucoup plus laconiques; ils mettaient leur nom, et rien d'autre. Pourtant on assurait que Carnot, après avoir écrit le sien
sur le registre des *non,* avait ajouté à son vote de rejet
ces mots : *Je signe ma proscription.* Ce qu'apprenant
ses collègues du tribunat « s'étaient empressés d'effacer
la phrase ou d'arracher le feuillet ». Ça se passait,
comme on dit, « en famille ».

Au bout de trois semaines, on commença, au ministère de l'intérieur, le dépouillement du scrutin; les
registres y furent portés, et dès le 4 messidor, les journaux annonçaient qu'à cette date le nombre connu des
votes émis par les électeurs de Paris montait à 60 395
pour l'affirmative et à 80 pour la négative. Restaient à
dépouiller les votes recueillis aux secrétariats des mi-
nistères, et aux greffes des tribunaux, qui n'avaient pas
encore remis les registres à eux confiés. On constatait,
sur ce chiffre provisoire, que jamais les électeurs de
Paris n'avaient voté avec autant d'entrain : la Constitution de l'an VIII n'avait réuni que 27 675 suffrages,
et en 1789, 14 010 électeurs seulement avaient pris part
à l'élection du maire de Paris.

Le résultat définitif n'était pas douteux; les Parisiens pourtant l'attendaient avec une sorte de fièvre; ils durent patienter jusqu'au 14 thermidor, soixante-treizième jour après l'ouverture du scrutin, pour apprendre officiellement que 3 568 885 citoyens français désiraient, contrairement à l'opinion de 8 374 opposants, voir Bonaparte conserver pendant toute sa vie la dignité de consul. Rien de tout cela, d'ailleurs, n'engageait personne; pourtant la joie fut aussi générale et aussi sincère que si le sort de la France eût été fixé irrévocablement, et pour des siècles...

Deux semaines plus tard, le *Moniteur* publiait un avis ainsi rédigé : « Demain dimanche, 27 thermidor-15 août, jour de l'Assomption de la sainte Vierge, un *Te Deum* solennel sera chanté dans l'église de Notre-Dame de Paris et dans toutes celles du diocèse, en actions de grâces... »

Dimanche, Notre-Dame, Te Deum, actions de grâces... Pouvait-on en croire ses yeux? Ces termes surannés, abolis, oubliés depuis si longtemps, figuraient au *Moniteur*, le journal officiel de la République française! La Révolution était bien finie!

VISITE ROYALE

SERAIT-CE que le protocole manque d'imagination, ou que les princes se blasent moins vite que le commun des mortels? Mais il est, depuis cent vingt ans, une chose immuable en ce changeant pays, c'est la façon de distraire les souverains étrangers qui nous rendent une visite officielle. Jadis, avant la Révolution, au temps de Pierre le Grand ou de Joseph II, on les laissait vivre à leur guise; ils parcouraient Paris en touristes, sans escorte de cavaliers et sans suite, logeant à l'auberge et mangeant à leur heure. Comme si elle eût voulu montrer qu'en rendant les peuples libres elle avait asservi les rois, la France née de la Révolution, dès qu'elle consentit à les recevoir, leur imposa la gêne d'un programme qui tout de suite fut réputé si parfait que jamais depuis lors il n'a été modifié : réceptions à l'ambassade, visite aux Gobelins, fête au ministère des Affaires étrangères, grande revue, dîner chez le chef de l'Etat avec toasts obligatoires, enfin représentations à l'Opéra et aux Français de la pièce la plus ennuyeuse du répertoire courant.

Celui qui, en juin 1801, dut se résigner à inaugurer ces réjouissances de commande fut un souverain de la

façon de Bonaparte : c'était l'infant Louis de Parme,
que le traité de Lunéville venait de bombarder roi
d'Etrurie. Il arrivait d'Espagne où il avait épousé,
quatre ans auparavant, l'infante Marie-Louise, fille de
Charles IV. Depuis que Paris avait aboli la royauté et
s'était débarrassé des Bourbons à la manière expéditive
que l'on sait, ces deux « têtes couronnées » étaient les
premières qui osaient affronter la grande ville révolutionnaire et entrer en coquetterie avec la terrible république. On n'était pas sans quelque inquiétude sur les
sentiments qu'allait manifester à ces hôtes le peuple
qui avait envahi les Tuileries et dansé la Carmagnole
autour de l'échafaud de Louis XVI. On lui avait,
depuis dix ans, inspiré une si grande horreur des rois
que peut-être recevrait-il ceux-ci comme des monstres
échappés à une juste hécatombe, — à moins qu'il ne
les acclamât comme les rejetons de la famille auguste
et chérie de ses anciens maîtres. Car l'infant-roi et sa
femme étaient tous les deux issus des Bourbons : Louis
de Parme se trouvait être, par sa grand-mère, l'arrière-
petit-fils de Louis XV, et Marie-Louise d'Espagne descendait directement de Louis XIV. Il y avait donc, de
la part du gouvernement consulaire, quelque hardiesse
à exhiber, entourés d'hommages, ce prince et cette princesse dans les veines desquels coulait le sang bleu de
nos rois. On pouvait redouter que leur présence exaltât
la fidélité, temporairement silencieuse, des royalistes
obstinés et qu'elle exaspérât les jacobins impénitents,
mécontents de voir des tyrans se promener par la ville
autrement qu'en charrette, à côté du bourreau.

On fut vite rassuré. L'infant Louis et la princesse
sa femme n'étaient point d'allure à susciter tant d'enthousiasmes ni de colères. On les eût choisis ou com-

mandés sur mesure qu'on eût difficilement trouvé à montrer aux Parisiens des fantoches mieux faits pour calmer leurs regrets ou dérider leurs haines. Peut-être Bonaparte, attentif à tout, prévoyait-il bien qu'il allait gagner à la comparaison; peut-être, comme un cavalier forçant son cheval à flairer l'obstacle qui l'a fait se cabrer, voulait-il que son peuple rétif vît de près, une dernière fois, des Bourbons authentiques, afin qu'il dise : « Ce n'est que ça! »

Toujours est-il que le premier consul fut presque trop bien servi par les circonstances : à mesure que les illustres visiteurs approchaient de la capitale, les premiers rapports lui donnèrent à craindre que ces échantillons de sa fabrication de rois parussent de qualité par trop inférieure. La nouvelle reine d'Etrurie était d'une laideur inouïe, exagérée, repoussante : son époux, imbécile bruyant, n'avait pas, depuis les Pyrénées, laissé échapper l'occasion d'une bévue à commettre ou d'une sottise à dire; quant à leur dauphin qu'ils traînaient avec eux, et qu'on appelait le *Contino,* c'était un bambin de trois ans, braillard, mal élevé et déjà arrogant. Heureusement l'entrée solennelle de l'auguste famille fut retardée jusqu'à une heure du matin, de sorte que les Parisiens, lassés d'attendre, se virent privés du spectacle désopilant de la berline royale, traînée par des mules dont tous les harnais étaient garnis de sonnettes assourdissantes, et aux portières de laquelle se penchaient, dans l'ombre, l'horrible tête de la princesse, le torse agité du roi et le visage endormi du *Contino.*

Dès le lendemain commence l'exécution du protocolaire programme par un gala à l'Opéra. Le premier consul se dispense d'y assister; il se dit subitement indisposé; au vrai il n'est pas flatté de se présenter en public dans la compagnie de l'infant qu'il a jugé du premier coup d'œil.

« Hum! a-t-il dit, si j'avais su, il serait resté où il était. »

Pourtant il se montre, avec ses hôtes, à la Comédie-Française; on joue *Philoctète* : les spectateurs acclament Bonaparte, grave, immobile, tandis qu'à côté de lui le roi d'Etrurie s'agite, remue, gesticule et paraît, dans son fauteuil, être assis sur un réchaud brûlant. Au moment où Philoctète lance, avec intention, ce vers de la tragédie :

J'ai fait des souverains et n'ai pas voulu l'être,

les applaudissements éclatent, les trépignements ébranlent la salle depuis l'orchestre jusqu'au paradis. Le souverain, ravi, persuadé que l'ovation s'adresse à lui, fait entendre un rire strident et imbécile, se lève, salue, se rassied et manifeste son contentement en bondissant et en se laissant retomber sur son siège dont les solides ressorts l'envoient à deux pieds de hauteur; et le consul, impassible, murmure :

« Encore un pauvre roi! »

A l'Institut, parcourant les salles, Louis d'Etrurie ne regarde rien, ne comprend rien; mais tout à coup il s'arrête devant un rayon de bibliothèque, en extase sur le titre d'un volume qui semble lui causer une impression profonde :

« Quel bon ouvrage! » s'écrie-t-il.

On s'approche pour juger de ses préférences littéraires... C'est l'*Histoire des poissons* de M. de Lacépède. Aux réceptions chez les ministres, à la Malmaison, il n'est pas mieux inspiré; sa femme, plus intelligente, dit-on, mais hautaine et guindée, ne se met

pas en frais; quant au *Contino,* qu'on produit à titre
d'héritier présomptif de la couronne d'Etrurie, il ne
sait qu'offrir, à tous ceux qui l'approchent, sa main
à baiser et il se retourne aussitôt pour leur présenter
son derrière. Le père l'excuse, expliquant que le mar-
mot a la colique; sa femme aussi a la colique, et lui-
même : l'eau de la Seine les a tous incommodés.

Le 8 juin, avait lieu la fête offerte aux souverains
voyageurs par M. de Talleyrand, ministre des relations
extérieures, qui disposait alors du château de Neuilly.
M. C. Leroux-Cesbron a donné un pittoresque tableau
de cette réception si luxueuse que des mécontents la
considéraient comme une insulte à la misère publique.
Tout le château était illuminé; au fond du parc se
dressait en feux de couleurs la silhouette du palais
Pitti; il y avait des fontaines lumineuses, un théâtre
en plein air, des tableaux vivants, des orchestres dissé-
minés dans les bosquets. Les tables du souper étaient
installées sous de grands orangers desquels pendaient
des fruits de glace. Talleyrand avait même poussé l'in-
géniosité de la flatterie jusqu'à grouper, devant une
pièce d'artifice, une foule de figurants déguisés en « habitants du royaume d'Etrurie », lesquels s'entretenaient
de la prochaine arrivée de leurs souverains et se réjouis-
saient en les célébrant par des jeux et par des danses.

Celui pour qui la fête était donnée ne comprit d'ailleurs aucune de ces allégories. Il ne prêta attention
qu'aux vers d'un improvisateur italien, le célèbre
Gianni, qui débita une pièce de circonstance. Comme
le premier consul répondait au compliment par
quelques mots en français, le pauvre roi, qui n'en
manquait pas une, lui dit : « *Ma, in sommo, siete
Italiano, siete nostro.* (Mais, en somme, vous êtes italien,

vous êtes des nôtres). » Aussitôt Bonaparte riposta,
d'un ton coupant comme une lame de sabre : « Je
suis français! » Et il tourna le dos à son inepte inter-
locuteur. Celui-ci n'en perdit pas contenance. Il se mit
à danser, ou plutôt il se lança éperdument parmi les
groupes, en exécutant des entrechats, des bonds et des
pirouettes aussi extravagantes que peu royales. Les invités, ébahis, s'écartaient pour laisser le champ libre
à ses cabrioles et le contemplaient avec stupeur. Lui,
très satisfait de l'effet produit, gigotait à perdre le
souffle et poussait ses rigodons avec tant de conviction
et de muscle que la boucle d'un de ses escarpins, se
détachant, décrivit une parabole à travers les lustres
et alla retomber sur la tête d'un invité. Le roi, sentant
le succès, n'en continua pas moins à se trémousser, si
bien que sa seconde boucle, échappant à son pied, vint,
en projectile, frapper à la tête la future duchesse
d'Abrantès et resta accrochée à ses cheveux. Pour le
coup, Sa Majesté jugea la chose si réjouissante qu'elle
s'arrêta de danser pour rire, mais pour rire au point
d'étouffer, et la strangulation mit fin à son cavalier seul.

Tel fut le premier rapprochement entre les rois et
la République. Cette tentative de réconciliation n'eut
pas, on le devine, la portée politique qu'en espéraient
les royalistes. Quand le roi d'Etrurie, sa femme et leur
rejeton quittèrent Paris pour gagner leur capitale, ils
emportaient la réputation de simples grotesques. Leurs
sujets ne purent cependant rire d'eux bien longtemps
car deux ans après son élévation au trône Louis décé-
dait, laissant la couronne au *Contino*, lequel n'avait
pas atteint sa neuvième année que déjà son royaume
éphémère était dépecé pour former trois départements
français.

NAPOLÉON ACADÉMICIEN

Au nombre des affections auxquelles est exposée notre pauvre humanité comptent la fièvre rouge et la fièvre verte. Elles se révèlent toutes deux par des symptômes à peu près semblables; mais si la première — très répandue — sévit à des époques déterminées telles que l'approche du 1ᵉʳ janvier ou de la fête nationale, la seconde, plus rare et plus capricieuse, se manifeste seulement quand se produit une vacance à l'Institut. L'explication de ce phénomène est très simple pour qui sait — et nul, je pense, ne l'ignore — que l'on nomme « fièvre rouge » l'état d'anxiété des candidats au ruban de la Légion d'honneur dans l'attente d'une promotion, et « fièvre verte », l'impatiente agitation de ceux qui sollicitent un siège à l'une quelconque de nos Académies. Il n'y a pas à en rire : ce sont là troubles auxquels les plus impassibles ne sont point réfractaires : Napoléon lui-même y fut sujet; mais contrairement au commun des mortels, il eut la fièvre verte avant l'autre; on croit qu'il l'attrapa en l'automne 1797, à Tassariano, dans la fréquentation de Monge, lequel, étant membre de l'Institut national, classe des sciences physiques et mathématiques, se trouvait, par là même, vacciné contre le mal, mais pouvait cependant le communiquer.

Or, à cette époque, l'un des fauteuils de cette Académie fut déclaré vacant : celui de Carnot. Non point que Carnot fût mort; il était simplement rayé du nombre des vivants, depuis le coup d'Etat du 18 fructidor. Pour bien établir que quiconque leur déplaisait devait être considéré comme n'existant plus, les directeurs exécutifs invitèrent l'Institut à procéder au remplacement de celui qui avait été, aux jours tragiques, l'organisateur de la victoire. On s'attendait à ce que l'Institut regimbât devant cette mise en demeure; point du tout : docile aux ordres du pouvoir, il déclara vacante la place de Carnot et les amateurs aussitôt commencèrent leurs évolutions. Tout de suite, il s'en présenta onze. Le premier qui se révéla, le plus pressé, fut le ci-devant marquis de Montalembert, âgé de quatre-vingt-quatre ans; puis vinrent Lamblardie, Louis Berthoud, Dillon, Bréguet, Janvier, Callet, Grobert, Molard, Lenoir et Servières. Ce dernier n'était pas illustre; il s'était ou imaginait s'être fait connaître par un savant mémoire sur *la Manière de cueillir les feuilles des arbres et de les donner à manger aux bestiaux;* il était également l'auteur d'un travail important sur la façon de consulter le thermomètre en le plaçant *horizontalement* et non *verticalement,* comme on en a la déplorable habitude. Les autres candidats étaient des mécaniciens, des ingénieurs ou des mathématiciens de grande valeur, et la première classe de l'Institut allait connaître l'embarras du choix entre tant d'illustrations sollicitant ses suffrages, quand elle apprit qu'un douzième compétiteur, résidant momentanément en Italie, se mettait sur les rangs : c'était Bonaparte, le jeune vainqueur dont toute la France alors se montrait follement éprise... Les onze nez des autres candidats durent s'allonger à l'entrée en scène de ce concurrent imprévu.

Ce n'était pas que ses titres fussent éminents — en tant que mathématicien, bien sûr; — ce qu'il avait appris, il le savait imperturbablement; mais sa science était courte; elle ne dépassait pas le classique *Bezout*, l'ouvrage de mathématiques supérieures en usage dans les écoles militaires; mais allez donc exiger des chiffres de qui vous apporte Arcole, Lodi, Castiglione, Rivoli — et par surcroît Leoben. Il suffisait qu'un tel homme eût envie d'entrer à l'Institut pour que les portes s'ouvrissent toutes grandes; et Bonaparte en avait bien envie : il semble même que ce fût là, en attendant mieux, sa plus harcelante ambition. A quelqu'un lui demandant à quoi il emploierait ses loisirs lorsqu'il aurait assuré la paix : « Je m'enfoncerai dans ma retraite, répondit-il, et j'y travaillerai à mériter un jour d'être de l'Institut. » La science, et surtout la science astronomique, a pour lui tant d'attraits qu'il la prise autant que les plus doux plaisirs de l'amour : « Partager une nuit entre une jolie femme et un beau ciel, employer le jour à contrôler des calculs et des observations », telle est, à vingt-huit ans, sa définition du bonheur. Resterait à savoir si les jolies femmes de ce temps-là s'accommodaient de toute cette cosmographie et de tous ces chiffres. Toujours est-il que Bonaparte avait de grandes chances et que sa candidature se présentait bien. Il expédia son ami Monge en éclaireur; lui-même arriva à Paris le 5 décembre : l'élection était fixée au 15 du même mois.

Tout l'intérêt, il faut le dire, s'attachait au jeune

conquérant qu'acclamaient les Parisiens; et je pense
aux onze savants, ses concurrents, pour la plupart
hommes d'âge — sans insister sur l'octogénaire — s'obs-
tinant à lutter contre cet adversaire invincible. Je les
vois, trottant par ce glacial frimaire, crottés jusqu'aux
omoplates, accomplissant courageusement leurs 144 visites — tel était le nombre total des membres à solliciter — et se heurtant, dans les rues boueuses, au
pompeux cortège de leur rival, ce blanc-bec qui ne
sortait qu'en carrosse, escorté d'un escadron d'honneur,
reçu solennellement par le Directoire, par les deux
Conseils, par les ministres, triomphalement accueilli
par tous les grands corps de l'Etat, encensé comme
une idole par les femmes les plus aimables et les plus
influentes. Ah! sa campagne académique était facile!
Et il fallait que la fièvre verte tînt fortement les onze
autres pour qu'ils n'abandonnassent point la partie,
perdue d'avance. Pas un ne se découragea. Dès le scru-
préparatoire pourtant, nulle illusion ne pouvait
sister, encore que, jusqu'à l'élection définitive, on
attendre à des surprises. Le mécanisme adopté
le vote était de l'invention de Borda, l'illustre
mathématicien, et on pense bien que ce n'était pas
ple. Je voudrais tenter d'en donner un aperçu.
Chacun des académiciens devait écrire les noms des
postulants en les alignant *au rebours* de ses préférences;
ainsi, dans le cas qui nous occupe, le candidat qu'on
souhaitait élire était placé le dernier de la liste, et le
premier inscrit était celui dont on jugeait les chances
les plus faibles. On numérotait les noms ainsi classés;
on faisait le total de ces numéros, et on déclarait éli-
gibles les trois candidats dont les noms étaient accolés
aux plus gros totaux. Saisissez-vous? Pas encore. Mais

voici qui vous éclairera : le règlement exigeait — je
copie textuellement sans, pour ma part, y rien comprendre, — que « s'il arrivait qu'une ou plusieurs
sommes fussent égales à la plus petite de ces trois
sommes, les noms seraient portés sur la liste de présen-
tation dans laquelle on tiendrait compte de l'égalité
des sommes. En ce cas, les plus grandes... » Non! j'y
renonce! Pour voir clair en cet inextricable calcul, il
faut lire une plaquette que M. Lacour-Gayet, membre
de l'Académie des sciences morales et politiques, a
consacrée à *Bonaparte, membre de l'Institut.* Non seulement on suivra là les curieuses et amusantes péripéties
de la candidature, de l'élection de Napoléon, de sa réception enthousiaste, de son assiduité éphémère, mais
on y trouvera, en précieuses reproductions de documents, jusqu'à présent inédits, extraits des archives de
l'Académie des sciences, tout le mécanisme du scrutin
tel qu'il était sorti du mathématique cerveau de Bord.
Ça vaut d'être vu : c'était si compliqué que, si gra
fût l'habitude des chiffres dont étaient doués ce
vants, il arrivait qu'un d'eux perdait pied dans c
culs et qu'on devait annuler son vote : ce qui
pour Napoléon, lequel, du reste, n'en obtint pas m
une majorité écrasante, ainsi que l'établit le comp
définitif ci-joint, pieusement conservé dans les archives
de la docte assemblée :

104 bulletins formant au total 624 votes.
Le général Bonaparte obtient . . . . . 305 votes
Le citoyen Dillon . . . . 166 —
Le citoyen Montalembert . . . . . . 123 —
_____
Total égal . . . . . . 624 votes

Considérez avec respect cette addition : elle est l'œuvre des plus fameux calculateurs dont se glorifiait la France à la fin du XVIIIe siècle; elle a passé sous les yeux des mathématiciens les plus réputés, de ceux qui pèsent, à un gramme près, les étoiles, et qui, du fond de leur cabinet, sans se tromper d'un centimètre, mesurent les étendues célestes. Considérez-la attentivement : ELLE EST FAUSSE! C'est bien réconfortant pour ceux qui, comme moi, n'ont pu pousser l'étude de l'arithmétique plus loin que les deux premières règles et qui sont cependant assez instruits de ces choses mystérieuses pour constater que $305 + 166 + 123$ donnent un total de 594, et non de 624. Même en retranchant les trente voix dont ce calcul gratifie indûment le candidat, je ne pense pas qu'on puisse raisonnablement attaquer son élection : la majorité lui reste imposante. Tout de même, il y a là un « vice de forme », et si quelque descendant du citoyen Dillon ou du citoyen Montalembert, les deux concurrents évincés, découvrait la juridiction compétente, il pourrait bien se faire qu'il eût gain de cause et qu'il fût établi par autorité de justice que Napoléon n'a jamais été de l'Institut.

Le plus singulier est que ça ne diminuerait en rien sa renommée.

L'ART DE VÉRIFIER LES DATES

Dépouillant la correspondance de l'Empereur, imprimée ou encore inédite, les papiers de la secrétairerie d'Etat, les grandes publications de Chuquet, d'Henry Houssaye, de Frédéric Masson, d'Albert Vandal, les registres de la guerre, le *Moniteur,* le *Journal de l'Empire,* les bulletins de l'armée, les Mémoires des contemporains, cent et cent autres documents, M. Albert Schuermans est parvenu à dresser sous le titre de l'*Itinéraire général de Napoléon Ier,* un « calendar », du 15 août 1769 au 5 mai 1821, indiquant pour chaque date — sauf, bien entendu, les lacunes obligées des premières années — l'endroit où se trouvait le grand homme et ce qu'il faisait ce jour-là.

Quel agenda! On le savait; mais, tout de même, groupé de la sorte, sans phrases, tout sec, c'est étourdissant. Ce mémento de l'existence qui, depuis la création des hommes, fut de toutes la plus miraculeusement active et remplie, procure une sorte de vertige. D'un bout de l'Europe à l'autre, IL va, vient, retourne, se bat, triomphe, chasse, reçoit, signe des traités, préside vingt conseils, visite les monuments, s'installe comme pour la vie, repart au bout d'une heure, dort

sur un canapé, s'occupe de tout, s'intéresse à tout, lit
tout, voit tout, passe des revues, assiste à la comédie,
et, où qu'il soit, trouve quinze ou dix-huit heures dans
la journée pour le travail de cabinet. La simple no-
menclature de ses actes, l'énumération toute nue de
ses déplacements exaltent comme la lecture d'une épopée, et ce serait une erreur de croire que le livre de
M. Schuermans n'est qu'un *index* réservé aux seuls
travailleurs : le charme en est assez semblable à celui
d'une iconographie qui comprendrait la reproduction
d'estampes, d'images populaires, de fresques imposantes,
de vignettes... N'est-ce point, par exemple, un tableau
de genre que cette page du séjour de Bonaparte, officier de vingt-deux ans, à Valence, dans l'été de 1791 :

Juillet 17. — Il conduit à Planèze la musique du régiment
qui doit jouer à un repas de noces auquel Bonaparte était
invité. De là, dans la voiture d'un camarade, et conduit par
un nommé Servole, il va coucher à Saillans.

18. — Départ de Saillans; il gravit la Roche-Courbe pour
rentrer ensuite à Valence.

27. — Il est à Valence.

Août. — Dans les premiers jours, entre le 26 et le 29,
Bonaparte... se rend au château du Pommier, auprès du
général Du Teil, où il passe plusieurs jours.

— De Valence, il va à Grenoble... Il loge à l'hôtel des
Trois Dauphins, rue Montorge, et fréquente avec assiduité
le club des amis de la Constitution qui se réunissaient dans
l'ancien couvent des Jacobins, place Grenette. Il revient à
Valence au bout de quelques jours.

Août 25. — A Valence. Il célèbre avec les autres officiers
du roi chez Geny, leur maître d'hôtel, qui tient l'hôtel des
Trois Pigeons, rue Pérollerie, hôtel existant encore aujour-
d'hui, mais sous une autre enseigne, non loin de la maison
Dupré-Latour.

26-29. — Voyage au château du Pommier, où il arrive à dix heures du soir. Il reste quatre jours.

Septembre. — Le lieutenant Bonaparte, à la tête d'un détachement, va, sur réquisition, soutenir l'installation du curé constitutionnel, à Tain.

A Tain, il loge chez le maire, M. Jourdan. Le jour de son arrivée, il refuse d'y dîner, voulant aller à Tournon, de l'autre côté du fleuve, voir le lieutenant-colonel Hyacinthe de Rossi. L'installation du curé n'eut pas lieu.

Il revient à Valence dans la carriole du père Lolive en passant par la rive droite du Rhône et par Saint-Perray.

Le 30. — A Valence. Il assiste à la revue de son régiment...

Un nommé Servole, le père Lolive : les noms de ces deux paysans ne périront point parce que, un jour d'été, ils ont pris dans leur carriole un petit officier dont ils ont reçu sans doute un bien modeste pourboire, et qui n'a pas dû beaucoup causer en cours de route. Seulement, quinze ans plus tard, quelqu'un leur aura dit : « Vous souvenez-vous, père Lolive, père Servole, du jeune lieutenant que vous avez conduit à Saillans et ramené de Tain? Eh bien, c'est lui qui est aujourd'hui Sa Majesté l'Empereur. » Quel étonnement : ce petit maigre! Et les braves gens, jusqu'à la fin de leurs jours, ont vécu de ce souvenir et s'en sont vantés tant et si bien que les voilà dans l'histoire.

Cet *Itinéraire* sert, en quelque sorte, de *pierre de touche.* Etabli d'après les indications extraites de documents irréfutables, on l'utilise à contrôler certains récits dont beaucoup, peut-être, ne résisteront pas à l'épreuve. Et les signatures de l'Empereur? Elles valent de cinq cents à mille francs, comme chacun sait. Quand un catalogue vous signalera un beau paraphe — l'N foudroyant — tracé sur une pièce datée *des Tuileries,*

le 4 avril 1808, par exemple, vite un coup d'œil à
l'*Itinéraire* : ce jour-là, l'Empereur, après avoir voyagé
toute la nuit, « arrivait à Angoulême à neuf heures du
matin, dînait, trois heures plus tard, à Barbezieux,
auberge de la *Boule-d'Or,* et à huit heures du soir,
entrait à Bordeaux ». Vous voilà fixé : le paraphe est
faux.

On peut tenter l'expérience, — elle est très amusante —, avec les mémoires de quelqu'un des contemporains de l'Empereur. Ceux de Mlle George, publiés
par M. Cheramy, semblent pour cela tout indiqués,
car la belle artiste, en griffonnant ses souvenirs, ne s'est
nullement préparée à subir un minutieux examen; elle
est sincère, elle raconte *comme ça lui vient;* mais de
dates, pas une : elle était trop femme pour n'être
pas brouillée, de naissance, avec la chronologie.

Scrutons donc un peu la véracité de Mlle George.
Elle nous dit que le soir de ses débuts à la Comédie-
Française, le premier consul assistait au spectacle. Ces
débuts — on le sait par les archives du théâtre —
eurent lieu le 28 novembre 1802. Consultons l'*Itinéraire :* le 28 novembre 1802 « Bonaparte est à Saint-
Cloud; il a, le matin, entendu la messe; puis il a reçu
Sidi Mustapha Arnout, envoyé du bey de Tunis ».
C'est tout; sa soirée est libre; rien d'étonnant à ce qu'il
soit venu à Paris pour entendre la débutante.
Mlle George n'a point menti. Mais un peu plus tard,
lorsque l'intimité s'établira entre elle et le consul séduit par sa beauté; quand Constant, le fidèle et
complaisant valet de chambre, viendra la chercher vers
huit heures à la fin du spectacle, pour la mener à son
maître, ne va-t-elle pas se vanter un peu, embellir
l'histoire de sa glorieuse conquête? Qui le saura? Elles

sont si secrètes, ces entrevues, si mystérieuses; quel pédant jamais pourra contrôler?...

Voyons. La première *convocation* de Bonaparte fut apportée par Constant, au théâtre, un soir que Mlle George jouait Clytemnestre dans *Iphigénie en Aulide;* le consul souhaitait la complimenter personnellement de ses succès. On peut donc placer ce premier rendez-vous peu après le soir des débuts de l'artiste, effectués précisément dans ce rôle de Clytemnestre, c'est-à-dire en décembre 1802. Eh! oui, c'était l'hiver qu'eut lieu l'entrevue; il faisait froid, George le dit; c'est à Saint-Cloud que Constant la conduisit. Il l'y ramena le lendemain; le jour suivant, on jouait *Cinna;* le consul assistait à la représentation après laquelle il regagna Saint-Cloud, où George se rendit de son côté. Ils ne se séparèrent qu'à sept heures du matin. Et les rendez-vous se poursuivent à Saint-Cloud, en plein hiver, pendant quelque temps; tels sont les souvenirs de l'actrice.

Que dit l'*Itinéraire?* Le consul passa tout le mois de décembre à Saint-Cloud, sauf le dimanche 5 et le jeudi 23. A Saint-Cloud également, il reste jusqu'au 21 janvier, et c'est à cette date seulement qu'il rentre aux Tuileries. La mémoire de George fut donc parfaitement fidèle; si fidèle qu'on pourrait certainement, en feuilletant les registres de la Comédie, fixer exactement la date des trois premiers rendez-vous. Le lendemain du troisième — le décisif — Mlle Mars, en effet, jouait le *Philosophe* et George alla rôder sur le théâtre, ayant oublié d'ôter de ses oreilles d'éblouissants diamants qu'elle tenait de son amant de la veille et dont l'éclat et la grosseur ravagèrent le cœur des bonnes camarades. Le lendemain, tout Paris connaissait le grand événement et quand, dans *Cinna,* la belle George débitait ce vers :

Si j'ai séduit Cinna, j'en séduirai bien d'autres...

le public, par un murmure flatteur, manifestait qu'il était au courant et qu'il approuvait la situation.

Il y a dans les Mémoires de George, une anecdote charmante. C'est pendant une nuit d'hiver, à Saint-Cloud encore : elle et le consul sont assis sur le tapis, devant le feu, dans la bibliothèque. Bonaparte imagine de lui faire répéter le rôle de *Phèdre,* il monte à l'escabeau roulant pour prendre le volume sur les rayons; elle, le voyant perché, s'amuse à rouler l'échelle par toute la chambre, promenant ainsi son vainqueur; et tous deux de rire et de batifoler. L'entretien ce soir-là finit tristement : le consul annonça à son amie qu'il partait le lendemain, à onze heures du matin, pour Boulogne. *Cherchez la date,* note George à l'adresse de Valmore auquel elle envoie sa narration. *Cherchez la date, car il est bien essentiel de voir les dates pour la vérité de ce récit.* Valmore ne chercha pas la date; mais l'*Itinéraire* nous la donne : le rendez-vous de la bibliothèque eut lieu dans la nuit du 1er au 2 novembre 1803. Car, le 2, « Bonaparte quitte Saint-Cloud, après le conseil, pour visiter la flottille en formation à Boulogne ». *Après le conseil,* c'est-à-dire à onze heures du matin.

En ce qui concerne ses relations avec son illustre amant, la mémoire de George semble bien n'avoir failli qu'une fois; encore est-ce dans un passage qui paraît être une seconde rédaction d'un fait déjà raconté. Elle était à Saint-Cloud, assure-t-elle, et Bona-

parte lui annonça encore qu'ils allaient se quitter,
qu'il partait de nouveau, le lendemain, pour Boulogne,
à quatre heures du matin. Or, on retrouve parfaitement, dans l'*Itinéraire,* le départ *à quatre heures,* le
30 décembre 1803; mais c'est aux Tuileries et non à
Saint-Cloud que réside alors le consul. Que lui impor-
tait, à la bonne George, que ce fût tel palais ou tel
autre? Ce qu'elle n'oublia jamais, c'est ce qu'*il* lui dit :
ce sont *ses* mots, *ses* phrases, *ses* manières de sourire,
ses plaisanteries d'enfant. Au vrai, elle l'adora; c'est là
encore la meilleure preuve de sa sincérité; elle se com-
plaisait trop à ces souvenirs pour les profaner en les
défigurant volontairement, et jusqu'à la fin de sa vie,
le moindre incident de ces douces heures resta présent
à son cœur.

LE PAPE A PARIS

Le maire de la petite ville de Nemours, en Seine-et-Marne, s'appelait, en 1804, M. Girault, et c'était, au mois de novembre de cette même année, un homme bien affairé.

Qu'on en juge : dès le 16, il avait appris officiellement par *le Moniteur,* que le pape Pie VII, parti de Rome le 2 novembre pour venir à Paris sacrer l'empereur Napoléon, devait s'arrêter le 22 à Nemours, y passer la nuit, pour reprendre, le lendemain matin, la route de Fontainebleau. Le sous-préfet, de son côté, l'avait avisé que le Saint-Père n'arriverait que le 23 au soir, et le préfet, que M. Girault consulta, répondit que Pie VII serait à Nemours le 22 ou le 23.

Or, il fallait en hâte procéder aux préparatifs et ce n'était point minime besogne; assurer les logements non seulement du pape, mais de toute sa suite : sept cardinaux, quatre évêques, deux prélats du premier ordre, quatre prélats domestiques, trois aumôniers secrets, deux maîtres de cérémonies, deux princes romains commandant la garde noble, et des surintendants, des secrétaires, des médecins, des courriers de

cabinet, des officiers de garde noble, des valets de pied
en tout une soixantaine d'hôtes de marque : il fallait
préparer des repas, et la chose se compliquait de ce
que le 23 novembre tombait un vendredi, jour d'abstinence où l'on ne pouvait décemment servir à une si
religieuse compagnie que des plats maigres; il fallait
mobiliser soixante-huit chevaux de poste pour relayer
toutes les berlines, veiller à ce que la foule attirée de
tous les points du département par l'auguste visite ne
causât aucun désordre et trouvât sans trouble ni bruit
à se sustenter; il fallait veiller au bon état des chemins, armer la garde nationale, se munir de mobilier,
orner l'église, apprendre des discours, disposer des illuminations, dérouiller les vieilles couleuvrines munici-
pales, élever un arc de triomphe, achever un pont sur
lequel la chaise de poste papale devait passer la première et dont on célébrerait ainsi la magnifique inaugu-
ration. Et pour mener à bien tant de travaux, le maire
de Nemours ne disposait que de six jours! Il y réussit
pourtant. Quand tout fut prêt — y compris le repas
maigre dont le menu, composé par le conseiller municipal Queuedanne, avait été, à grands frais, commandé
à Paris — quand tout fut prêt... on apprit avec consternation que le cortège papal, ayant perdu un jour à
Lans-le-Bourg et un jour à Lyon, n'arriverait à Nemours que le 24 au soir, pour y souper et y passer la
nuit.

On montra contre mauvaise fortune bon cœur : la
journée du 23 et celle du 24 se passèrent dans la
fièvre; une affluence énorme de curieux s'entassait dans
la petite ville; il en arrivait, sans cesse, par toutes les
routes et l'on appréhendait l'heure où il ne serait
plus possible de circuler dans les rues. Donc, le sa-

medi 24, à trois heures, les adjoints, le juge de paix,
le curé, accompagnés de tous les fonctionnaires et de
tout le clergé du canton, se mirent en marche pro-
cessionnellement, pour aller attendre le Saint-Père sur
la route de Montargis, aux limites de la commune. La
garde nationale formait la haie, et la foule immense
suivait, recueillie. Il ne faisait point chaud et l'attente
fut longue. Déjà la nuit tombait, déjà l'on avait allumé
les lampions et méché les bougies de la table du festin
quand un courrier parut sur la route... Grande rumeur, suivie presque aussitôt d'une grande déception;
le courrier apportait la nouvelle que le pape, arrivé à
quatre heures à Montargis, désirait s'y reposer et y
passer la nuit, et qu'il ne ferait que traverser Nemours
le lendemain, dimanche 25, dans la matinée... On
reprit le chemin de la ville; la foule, docile, se résigna;
on éteignit les illuminations, et, pour la troisième fois,
on serra le dîner dans les garde-manger.

Le lendemain, avant l'aube, on se remit en campagne, courageusement. A sept heures, toute la population, centuplée de celles des environs, autorités en tête,
était de nouveau massée sur la route. A neuf heures
précises, la berline papale paraît; c'était une belle et
solide voiture, attelée de six chevaux, et ne contenant
qu'un seul fauteuil « bien rembourré, dont les accou-
doirs étaient garnis de boîtes enfermant la tabatière, le
chapelet, le crucifix et le bréviaire du Saint-Père ».
Le canon tonne, les cloches sonnent, les tambours bat-
tent, la foule s'agenouille. A la tête du pont, la voiture
s'arrête, le maire s'avance, prononce quelques mots auxquels le pape répond d'un air de bonté et d'attendris-
sement : puis le cortège reprend sa marche et arrive à

l'église, où Pie VII met pied à terre et se place sous un dais que portent quatre ecclésiastiques.

La messe ayant été dite à Montargis, vers quatre heures du matin, la station à l'église de Nemours fut de courte durée; le Saint-Père, après avoir prié quelques minutes, reparut sous le portail : précédé de la croix, accompagné des fonctionnaires, des prélats de sa suite, du clergé, des officiers de sa maison, il traversa à pied la place Saint-Jean, et gagna la maison, sise presque en face de l'église, où ses appartements, depuis trois jours, étaient préparés. La foule cria : « Vive Pie VII, Vive Napoléon Ier », et tous s'agenouillaient devant ce vieillard de petite taille, aux cheveux noirs, qui souriait d'un air bienveillant et modeste.

Quoiqu'il ne fût que neuf heures et demie du matin, on se mit à table : il fallait bien servir enfin ce fameux repas maigre dû à l'imagination du conseiller Queuedanne et qui attendait depuis près d'une semaine; on y avait ajouté, comme c'était dimanche, un jambon et un pâté. D'ailleurs en voici le menu, textuellement copié dans un curieux récit de M. Eugène Thoison : « Un turbot garni d'écrevisses. Un cabillaud ou morue fraîche. Un beccard (espèce de truite ou de saumon). Un jambon. Trois soles frites. Des œufs frais. Un pâté. Des desserts assortis. Du pain. Le pape mangea seul à une table isolée : c'était là une obligation d'étiquette qui ne souffrait pas d'exception. On avait servi douze bouteilles de vin ordinaire, douze de Bourgogne, six de Volnay, cinq de Pomard, six de Nuits, deux de Malaga, quatre de Malvoisie, deux de Pacaret et quatre flacons de vermout. Pie VII trempa ses lèvres dans un verre d'eau, resta deux minutes à table, et se retira dans son appartement en déclarant

qu'il avait trouvé le déjeuner très à son goût. Les
monsignori de sa suite, qui, eux, goûtèrent sans timidité les vins de France, étaient sans doute de son avis,
car on les entendit répéter entre eux : « Maimeglio... »
(de mieux en mieux).

A dix heures et demie, après une réception où l'on
admit toutes les personnes que la dimension de l'appartement permit de recevoir, le Saint-Père remonta dans
sa voiture qui, au bruit des canons, des tambours et
des vivats, prit la route de Fontainebleau. En une
demi-heure de chemin, la berline, sous la brume et la
pluie froide, pénétra dans la forêt. On passa le village
de Bourron, où les paysans se tenaient à genoux
sur leurs seuils, puis on s'engagea sous la futaie
dénudée dont les majestueux alignements formaient,
de chaque côté du pavé, une magnifique et solennelle
avenue.

Au carrefour de la Croix de Saint-Hérem, vaste rond-
point dans la forêt, une rencontre imprévue : des chasseurs sont là, avec une meute de cinquante chiens :
l'un des chasseurs se détache du groupe; il est vêtu
d'un habit de vénerie, botté et éperonné. C'est l'Empereur. Il fait un signe en maître : la voiture papale
s'arrête, la portière de gauche est ouverte par un
piqueur.

Napoléon, sur son cheval de chasse, se tenait à
quelques pas, immobile : le Saint-Père comprit qu'il
lui fallait descendre; un moment, il hésita à poser, sur
le sol boueux, son pied chaussé de soie blanche. « Cependant, il fallut bien qu'il en vînt là », note Rovigo
avec satisfaction. Car tout ce cérémonial avait été
arrêté, non point de concert avec la cour pontificale,

mais pour bien marquer la suprématie du nouveau César. Quand le pape fut à une distance convenable, Napoléon mit pied à terre, vint à son tour vers le vieillard et l'embrassa.

A ce moment, la voiture impériale, stationnée tout près de là, fut avancée de quelques pas, « comme par l'inattention des conducteurs » et, pour éviter les chevaux, le Saint-Père et l'Empereur se séparèrent : la voiture passa entre eux et s'arrêta : instantanément les deux portières se trouvèrent ouvertes; l'Empereur se hissa vivement par celle de droite, tandis qu'un officier indiquait celle de gauche à Pie VII, qui n'y vit point de malice : et c'est ainsi qu'il occupa, jusqu'à Fontainebleau, la seconde place. Tout cet enfantillage avait été combiné minutieusement : « les pas même avaient été comptés » et l'on assure que Savary, le futur duc de Rovigo, était l'inventeur de cette très mesquine comédie.

A Fontainebleau, où l'on arriva vers une heure et demie, on conduisit immédiatement le pape à l'appartement des Reines Mères. C'est une série de vastes et somptueuses pièces qui prennent jour sur la cour des Fontaines, et qui avaient été habitées par Charles Quint, par Catherine de Médicis et par Anne d'Autriche. C'était le premier séjour de Napoléon dans ce vieux et monumental palais, où la pauvre Mme de Maintenon avait tant grelotté; et l'ensemble du château était dans un délabrement tel que les architectes avaient émis l'opinion de le démolir. Du moins, pendant les trois jours que Pie VII passa là, ne dût-il pas avoir à se plaindre du froid; on trouve dans les comptes, la mention de quatre hommes de peine qui, durant ces soixante-douze heures, ne furent occupés « qu'à monter

et à scier du bois pour le service du Saint-Père » : on
en brûla deux cents doubles stères!

La journée du lundi 26 se passa mélancoliquement :
si Pie VII était d'avance résigné à tout, les cardinaux
n'étaient pas satisfaits : ils estimaient « qu'on faisait
galoper le Saint-Père vers Paris comme un aumônier
que son maître appelle pour dire la messe ». D'ailleurs
on les avait entassés, sans grandes façons, dans les nids
à rats du pavillon Louis XIV : quelques-uns même
avaient été logés à l'auberge de *La Sirène*.

Un nouveau grief naquit de l'entrée du Saint-Père
à Paris. L'Empereur, obligé cette fois « de laisser la
droite à Pie VII », avait décidé que cette entrée aurait
lieu de nuit, sans aucun apparat. On partit donc en
poste de Fontainebleau, le mercredi 28 novembre, vers
deux heures : à six heures du soir, nuit close, on passait
la barrière des Gobelins; par les nouveaux boulevards,
le boulevard et l'esplanade des Invalides, le pont de la
Concorde et le quai des Tuileries, la chaise de poste
qui portait, grand train, le pape et l'Empereur, gagnait
le Carrousel et s'arrêtait à sept heures moins dix minutes sous le péristyle de l'escalier du Pavillon de Flore.
Les journaux n'avaient point officiellement annoncé
l'arrivée du Saint-Père; on avait, pour toute mesure,
ordonné à toutes les troupes de la garnison de prendre
les armes et elles étaient restées consignées dans leurs
quartiers respectifs.

L'appartement préparé aux Tuileries pour recevoir
le Souverain Pontife était situé au premier étage du
Pavillon de Flore, avec vue sur le jardin et sur la
rivière. C'était là qu'avait habité, jusqu'au 10 août 1792,
Mme Elisabeth, sœur de Louis XVI. Le rez-de-chaussée

du même pavillon, autrefois occupé par Mme de Lamballe, avait été mis également à la disposition du pape pour y loger ses services. Le grand appartement du premier étage comprenait une antichambre, une salle à manger, une chapelle, un petit salon, la salle du Trône, la chambre à coucher, le cabinet de travail, un cabinet de bains et une garde-robe, en se complétant de cinquante-six pièces situées à l'entresol.

Ces dispositions suffisaient pour loger *les individus* — ainsi s'expriment, gardant encore la tradition révolutionnaire, les documents officiels — que la fréquence de leur service obligeait à vivre auprès du Saint-Père, c'est-à-dire les cardinaux Antonelli et Borgia, l'évêque Menocchi, confesseur de Sa Sainteté, Mgr Gavotti, majordome, Mgr Altieri, grand chambellan, Mgr Mancurti, camérier et échanson, et Mgr Brago, secrétaire particulier : on logeait aussi, au Pavillon de Flore, M. le marquis Sachetti, avec un autre *individu* en sousordre, un médecin et un chirurgien, deux valets de chambre, un cuisinier, un chef d'office, et deux palefreniers ou valets de pied.

Quant aux autres cardinaux et prélats, on aménagea pour eux des appartements dans divers hôtels : on en mit deux à l'hôtel Borghèse (l'ambassade d'Angleterre actuelle), un chez M. Rapp, à l'orangerie des Tuileries; un autre à l'hôtel Fouché, rue du Bac, d'autres à l'hôtel d'Europe, rue Marceau, à l'hôtel des Indes, à l'hôtel de Genève...

On imagine quel devait être l'effarement de tous ces prélats romains, isolés dans la grande ville révolutionnaire dont les convulsions tragiques venaient tout récemment d'épouvanter le monde, obligés de vivre parmi cette population qui avait vu et fait le 10 août, le 9

thermidor... et de passer chaque jour devant ce balcon
des Tuileries, d'où, dix ans auparavant, Robespierre
avait proclamé, par décret de la République une et
indivisible, l'existence de l'Etre suprême. On songe à
leur trouble, à leur gêne quand ils coudoyaient ce
peuple qui avait gardé les façons, la brutalité et le
jargon de la Terreur : car, on n'était pas en novembre
1804, mais bien en « frimaire an XIII »; cette église,
où l'on préparait les cérémonies du sacre, s'était appelée
le Temple de la Raison, et sur tous les murs s'étalait
encore la devise du peuple triomphant. Même dans la
cour des Tuileries, les ruines des masures incendiées au
10 août étaient encore barbouillées d'une grande ins-
cription, d'un brun sinistre : *Fraternité ou la mort*,
qu'on disait avoir été peinte avec du sang.

Ces choses qui ne frappaient point les Parisiens, blasés
depuis longtemps, devaient singulièrement choquer de
pieux étrangers, disposés peut-être à juger sévèrement
la nouvelle France : et c'est de ce froissement sans doute
que naquirent bien des mauvaises humeurs, auxquelles
est dû le ton aigre de certaines relations du séjour du
pape à Paris.

Par une galanterie de Napoléon, la chambre où entra
le Souverain Pontife, en arrivant aux Tuileries, le soir
du 28 novembre, était distribuée et meublée d'une manière tout à fait semblable à celle qu'il occupait à Rome
au palais de Monte-Cavallo, sa résidence habituelle.

Dès sept heures du matin, le lendemain 29, toutes
les cloches de Paris, répondant au bourdon de Notre-
Dame, sonnant en volée, annoncèrent au peuple de
Paris que le Saint-Père était arrivé. Aussitôt les maisons se vidèrent; par les rues, du fond des faubourgs,

une masse de peuple, grossie à chaque carrefour, se
dirigea vers les Tuileries. Au moment où le jour se
levait, l'immensité des jardins, les terrasses, les quais, les
ponts étaient couverts d'une foule compacte, aussi recueillie que le permettaient sa curiosité et son entassement. C'était le peuple du 20 juin, du 10 août, de
Prairial : bien des gens étaient là, réclamant à grands
cris le Saint-Père, qui, jadis, avaient acclamé Robespierre, et hué la reine de France : bon nombre de ceux
qui s'agenouillaient n'avaient reçu que le baptême
civique et s'étaient mariés sans prêtre...

Mais qui songeait à cela? Ce grand enfant qu'est
Paris, qui croyait bien ne plus pouvoir s'intéresser à
rien, tant il avait vu d'événements étranges, devait à
son Empereur avisé une distraction inespérée : il lui
avait amené le pape! Et ceci, vraiment, valait qu'on se
dérangeât.

Aussi d'immenses rumeurs montaient du jardin des
Tuileries vers le Pavillon de Flore; on criait : « Le
Saint-Père! » sur le rythme du vieux refrain révolutionnaire : « *Les Lampions.* » La fenêtre s'ouvrit : on vit
paraître le saint vieillard au balcon; il était entièrement
vêtu de blanc, une robe de laine, sur laquelle il avait
passé « une sorte de camisole en mousseline garnie de
dentelles, qui faisait un singulier effet »; la calotte était
de laine blanche. A son aspect auguste, l'innombrable
foule se tut et s'agenouilla!... La curiosité indiscrète
s'était subitement changée en vénération : des gens
pleuraient, quelques-uns se frappaient la poitrine.
Pie VII leva la main droite et l'agita lentement en
signe de croix.

Vingt fois dans la journée, il dut paraître à la fenêtre.
L'entourage de l'Empereur admirait « l'aplomb avec

lequel il soutenait une situation si étrange pour le chef
de la chrétienté ». L'affluence sur les terrasses, dans les
parterres, au Pont Royal, se renouvelait incessamment,
on se battait autour des marchands de chapelets et de
médailles.

Pourtant, il y avait quelqu'un à qui cet enthousiasme
ne plaisait guère : c'était Napoléon. Fut-il jaloux,
comme on l'a dit? Avait-il la sensation que, inconsciem-
ment, le peuple de Paris saluait, en la personne du
Saint-Père, un pouvoir inébranlable et éternel qui faisait paraître plus fragile et plus instable sa puissance
née de la veille? Ce qui est vrai, c'est qu'il prit « quelques arrangements qui obligèrent Sa Sainteté à se refuser à l'empressement trop vif des fidèles ». Les journaux,
dont les colonnes étaient pleines des préparatifs du
sacre, devinrent subitement fort laconiques au sujet du
pape, et celui-ci, très averti, redoubla de réserve.

Il se levait avant le jour et demeurait jusqu'à dix
heures en prières. MM. de Viry, chambellan de l'Empereur, de Luçay, premier préfet du Palais, et Durosnel,
écuyer cavalcadour, remplissaient auprès du Souverain
Pontife les services de chambellan, de préfet et d'écuyer.
Comme il n'était pas possible de réprimer la curiosité
populaire, on décida d'ouvrir, à certaines heures, la
porte qui, des appartements du Pavillon de Flore,
communiquait à la grande galerie du Musée; c'est là
qu'étaient admis les visiteurs, et, à certaines heures,
Pie VII y paraissait un instant. Un jour que l'affluence
était grande et qu'il parcourait la galerie, les doigts
levés, distribuant sa bénédiction dont les Parisiens se
montraient avides, il aperçut un homme qui, dissimulé
au dernier rang, contemplait d'un air de sombre ironie,

le pieux empressement de la foule. Le pape, jugeant
que cet homme était, sans doute, un jacobin impénitent,
vint à lui et d'une voix douce : « Ne vous détournez
pas, monsieur, dit-il, la bénédiction d'un vieillard n'a
jamais porté malheur. » Mot d'un tact charmant, qui
fut répété, et qui ne fit pas moins pour la popularité
du Saint-Père que l'ostracisme où le tenait l'inquiétude
jalouse de l'Empereur.

Il la sentait et, pour ne point l'aviver, il demeurait
confiné dans ses appartements. On l'y traitait, d'ailleurs,
avec splendeur. A ce modeste vieillard, qui portait à
l'ordinaire une calotte de laine blanche, Napoléon offrit
une tiare qui fut payée à l'orfèvre Auguste 180 000
francs; elle était couverte de 2 636 brillants pesant
358 carats; la croix seule en était composée de 267
rubis d'Orient, de 68 émeraudes, de 10 saphirs, de
2 174 perles.

Le reste était à l'avenant. La cuisine de Pie VII était
fournie chaque jour de 160 kilogrammes de viande.
Le 8 frimaire, Biennais, marchand de volailles, rue
Sainte-Anne, compte, pour ce seul jour : 24 poulets
gras; le 9, 24 pigeons de volière; le 11, 48 mauviettes;
le 14, 12 pluviers dorés. Le 7 frimaire, Dumant, chef
de cuisine, achète 4 ris de veau, 4 cervelles, 4 anguilles,
2 moyennes anguilles, 8 carpes, 4 perches, 6 gros mer-
lans, un kilogramme de truffes, une truite, 4 soles, un
lot d'éperlans, 24 huîtres, des anchois et des saumons!
Le 8 frimaire encore, on achète chez Bourdon, pour
« Sa Sainteté », 25 belles poires Saint-Germain, 25 belles
poires cresanes, 4 pintes de crème, 2 pintes de lait, 6
pains de beurre, 6 escaroles, 6 betteraves, 2 chicorées,
200 marrons, 25 pommes de calvi (*sic*) et 6 paquets de
feuilles. Le boulanger de la Cour cuit en frimaire,

toujours pour « Sa Sainteté », 1 000 pains de table,
320 pains de quatre livres, 200 pains de 2 livres, 80
pains à café, 55 pains de 3 livres, et 7 pains de mie.

Singulière accumulation de victuailles, quand on
songe que Pie VII déjeunait d'une laitue et soupait de
quelques cuillerées de vermicelle, accompagnées d'un
verre d'eau de fleur d'oranger. C'est sans doute la fac-
ture de Gillet, épicier, rue Neuve-des-Petits-Champs, qui
nous renseigne le mieux sur le régime du pape : elle
comprend des pâtes d'Italie, du parmesan, de la gelée
de pommes de Rouen et de la fleur d'oranger pralinée.

Ce sont là, sans doute, de bien minimes détails; mais
les grands faits dont ils sont l'infime corollaire ont été
contés si souvent qu'il faut bien se rejeter, si l'on veut
en renouveler le souvenir, sur les menus objets; ils font
paraître encore plus auguste, par le contraste, la majesté
des événements. C'est assez s'attarder, pourtant, dans
les cuisines du Pavillon de Flore, et il faut bien en
venir au récit du grand jour dont l'annonce avait mis
tout Paris en liesse et le monde entier dans l'étonnement.

Le matin du 2 décembre, bien avant l'aube, le château des Tuileries était en ébullition : on n'y avait
guère dormi, depuis deux nuits, et les passants du Carrousel avaient pu voir, du soir au matin, étinceler dans
l'ombre, des arcades du rez-de-chaussée jusqu'aux dernières lucarnes des combles, toutes les fenêtres de la
façade, comme au temps des terribles séances où les
comités de la Convention restaient en permanence.
L'émoi était partout et surtout au cabinet de l'Empereur où une scène violente se passait.

Il faut savoir que, semblable en cela à tant d'autres

unions de l'époque, le mariage du général Bonaparte
et de la citoyenne Joséphine de Beauharnais n'avait pas
été béni par l'Eglise. Cette irrégularité n'avait en rien
gêné Joséphine, tant que son mari n'était que le petit
Bonaparte : maintenant qu'il était empereur, elle
souhaitait vivement, comme bien on pense, assurer à sa
situation d'épouse toutes les garanties. Mais lui n'en
voulait plus entendre parler, méditant déjà un divorce
qui lui permît de contracter mariage avec quelque fille
de roi. Or, dans la nuit du 1er au 2 décembre, à la veille
du sacre, quand toute l'Europe est conviée, les cierges
allumés, et les fleurs en place, quand il est impossible
de remettre la fête sans s'écrouler sous la risée uni-
verselle, Joséphine demande une audience au Saint-
Père, et lui confesse sa situation irrégulière...

Pie VII, très ému, déclare qu'il ne transigera pas
avec les règles les plus strictes de l'Eglise, et qu'on
l'immolera plutôt que de l'obliger à imposer l'onction
sainte à un couple qui n'est pas uni devant Dieu. Le
mariage religieux immédiat, ou point de couronnement. Et c'est ainsi que, le matin du sacre, dans une
chambre écartée des Tuileries, le grand aumônier, sans
cérémonie, sans témoins autres que les indispensables,
bénissait secrètement le mariage de Napoléon, écumant
de rage, et de Joséphine, brisée d'émotion. Ceux qui,
quelques heures plus tard, les virent passer, souriant à
la foule, l'air heureux et rayonnant, dans leur étincelant carrosse, ne se doutaient guère qu'ils n'étaient
mariés que du matin et que cette journée se passa pour
eux dans la plus effroyable scène de ménage qui jamais
grondât entre époux.

Mais cet incident restait ignoré de tous, et les gens

des Tuileries avaient bien autre chose en tête. Chacun
ne pensait qu'à son costume, à sa toilette, à son rôle;
tous ces jacobins qui, ce jour-là, jetaient décidément la
carmagnole aux orties pour revêtir l'habit brodé des
chambellans; tous ces Spartiates qui, du soir au matin,
se voyaient obligés de remplacer l'austérité républicaine et
le franc-parler de l'homme libre par le langage mielleux
et les élégances du courtisan, cette transformation subite
de toute une société donnait à l'auguste cérémonie un côté
mascarade, dont seuls, les malintentionnés s'offusquèrent,
tant l'événement restait grandiose sous d'autres faces.

Mascarade encore soulignée par le choix singulier
des costumes dont les dessins étaient dus à David et à
Isabey! Ces deux artistes s'étaient arrêtés à une sorte
de compromis entre l'antique et le Henri II, qui sentait
d'une lieue son Franconi. Le moindre des figurants de
la cérémonie voyait avec stupeur les tailleurs apporter
des toques à plumes et des manteaux courts dont il lui
fallait s'affubler, et, si les femmes étaient ravies, plus
d'un brave général d'Italie ou de Sambre-et-Meuse dut
longtemps se considérer dans la glace, avec ses bas de
soie, ses bouffants de satin blanc et sa veste de mignon,
avant d'oser se hasarder dans les galeries.

Bon nombre de ceux qui allaient figurer dans la
cérémonie passèrent la nuit à se parer; les coiffeurs, les
habilleuses, les tailleurs couraient d'un appartement à
l'autre : une femme de chambre de l'Impératrice note
qu'elle dut se faire coiffer à cinq heures du matin. A
huit heures, le valet de chambre Constant apporta
dans la chambre de l'Empereur les bas de soie brodés
d'or, les brodequins, la culotte et la veste de velours
blanc avec boutons de diamants, l'habit de velours
cramoisi étincelant d'or, le manteau court, avec agrafes

d'or, que le héros du jour allait revêtir. Pendant qu'on l'habillait, il ne se faisait pas faute d'apostrophes et de malédictions contre les brodeurs; à mesure qu'on lui passait une pièce de son costume : « Voilà qui est beau, monsieur le drôle, disait-il à Constant, en lui tirant les oreilles : mais nous verrons les mémoires. »

Le pape, lui, s'était levé comme à l'ordinaire, à quatre heures du matin, et s'était mis en prières. Il avait été convenu que le Saint-Père quitterait, à huit heures, le Pavillon de Flore pour se rendre à Notre-Dame; mais au moment du départ, un retard se produisit pour une cause assez singulière.

Tout le monde ignorait en France, et les maîtres des cérémonies des Tuileries ne savaient pas davantage, qu'il était d'usage, à Rome, quand le pape sortait du Vatican pour aller officier dans une église, qu'un de ses camériers partît un instant avant lui, monté sur une mule et portant une grande croix. Ce fut au moment même de se mettre en marche qu'on fut informé de cette coutume, et le camérier, malgré les supplications, ne consentait pas à déroger à l'étiquette pontificale. Il fallut donc mettre tous les piqueurs des Tuileries en quête; on eut le bonheur de trouver un âne assez propre que l'on se hâta de couvrir de galons; et le cru-cifer traversa, avec un sang-froid imperturbable, l'in-nombrable multitude qui bordait les quais et qui, malgré son recueillement, ne pouvait s'empêcher de rire à ce spectacle aussi bizarre qu'inattendu.

Le pape ne quitta les Tuileries qu'à neuf heures. Paris ne possédait pas alors les larges avenues d'au-jourd'hui; les grandes artères de la ville étaient l'étroite rue Saint-Honoré, qu'il fallut suivre jusqu'à la rue des

Lombards, puis la rue Saint-Denis, qui conduisait au Pont-au-Change. De là, par la rue de la Barillerie et le quai du Marché-Neuf, on accédait à Notre-Dame. On avait démoli trois maisons de la place du Parvis pour donner place au cortège; il avait été question d'abattre trente-cinq autres immeubles sur le quai, mais le temps avait manqué.

Un peu avant dix heures, le carrosse du pape, une voiture superbe dont l'impériale était chargée d'une tiare en bronze doré, et que traînaient huit chevaux gris pommelé, parvint à la rue du Cloître, où se trouvait l'entrée du vaste bâtiment élevé pour servir d'antichambre à la cathédrale; Pie VII entra presque aussitôt dans la basilique, repeinte à neuf pour la circonstance et transformée en une vaste galerie de fêtes, dégagée depuis le chœur jusqu'à la tribune des orgues, sous laquelle avait été placé le trône impérial. Le Saint-Père se rendit au fauteuil préparé pour lui dans le chœur, et il commença à prier en attendant l'Empereur; il attendit longtemps, il attendit pendant deux heures, deux heures qui parurent mortellement longues à toute l'assistance, dont le recueillement fut vite épuisé et qui se comportait là, immobilisée sur les gradins élevés de chaque côté de la grande nef, comme elle aurait pu le faire au théâtre. La gêne était d'autant plus grande que l'immense église était glacée, et que l'étiquette interdisait aux femmes de jeter la moindre mousseline sur leurs épaules nues. Le Saint-Père, dit-on, souffrit cruellement de la température : on avait négligé de préparer pour lui une chaufferette et cette pénible disposition ne contribua pas peu à lui donner « l'air d'une victime résignée » qu'il garda pendant tout le temps de la cérémonie.

A midi, les canons tonnèrent; le bourdon, qui ne s'était guère ménagé depuis la veille. sonna en volée, et le carrosse de glaces et d'or, traîné par huit chevaux de couleur isabelle, où se trouvaient l'Empereur et l'Impératrice, tourna l'angle du quai et entra sur le parvis. Il fallut attendre encore que le cortège impérial s'organisât dans les salons de l'archevêché qu'une galerie, élevée à cette occasion, faisait communiquer avec la cathédrale.

Enfin, le nouveau César parut dans le chœur; il était précédé des grands officiers de la couronne et des maréchaux d'empire portant les honneurs. L'Empereur, sous l'immense manteau de velours cramoisi semé d'étoiles d'or et doublé d'hermine, dont le poids était de 80 livres, et la superficie de 176 pieds (58 mètres), l'Empereur paraissait écrasé. Sa petite taille se fondait sous ce gigantesque accoutrement. Une « simple couronne de lauriers » ceignait sa tête, il était d'une pâleur extrême, « véritablement ému », et l'expression de ses regards paraissait sévère et un peu troublée.

Le Saint-Père monta à l'autel, et la messe commença. Pendant la durée, très longue, de la solennité, l'Empereur, soit fatigue, soit mauvaise disposition de santé, « ne fit que bâiller ». On alla à l'offrande, on en revint; puis on descendit l'estrade du trône en cortège pour aller recevoir l'onction sacrée; l'Empereur et l'Impératrice, en arrivant au chœur, se placèrent à leur prie-dieu, et le pape s'approcha d'eux pour accomplir la cérémonie. Chacun sait que, quand il présenta la couronne à Napoléon, celui-ci la lui prit des mains, la posa lui-même sur sa tête, l'ôta aussitôt, la plaça sur le front de l'Impératrice, et la retira pour la reposer sur le

coussin. On en ajusta tout aussitôt une plus petite sur
la tête de Joséphine, si heureuse qu'elle ne voulut s'en
débarrasser que le soir, au moment de se mettre au lit.

Toutes ces dispositions avaient été combinées
d'avance et répétées « comme au ballet ». Huit jours
avant le couronnement, le peintre Isabey avait fait
acheter chez les marchands de jouets tout ce qu'on put
trouver de ces petites poupées qui servent à l'amuse-
ment des enfants. Il les avait habillées en papier de la
couleur du costume de chacun des personnages appelés
à figurer à Notre-Dame; puis il avait dessiné un plan
de l'église, sur une échelle en rapport avec la hauteur
de ses bonshommes, et c'est à l'aide de ces poupées de
bois que les répétitions du sacre avaient eu lieu, sous les
yeux de l'Empereur ravi, dans la galerie de Diane,
aux Tuileries.

Ce qu'on n'avait pu prévoir, et ce qui fut remarqué
et grossi par les malveillants, c'étaient les petites fautes
contre l'étiquette, l'écrasement aux portes, les « gami-
neries des estrades »; une altercation entre Joséphine et
ses belles-sœurs, vertes de jalousie, sous le dais du
trône, « les princesses lâchant le manteau de l'Impératrice, au moment où elle monte les marches, de façon
qu'elle manque de tomber en arrière, entraînée par le
poids; l'Empereur, dans le passage de l'église, frappant
de son sceptre le dos du cardinal Fesch pour l'appeler »,
mais « tout ce qui est médiocre et mesquin » s'efface
devant la splendeur de la cérémonie et la grandeur de
l'homme. Lui, « dans la tempête d'orgueil qui se dé-
chaîne sous son crâne », songe à son enfance misérable,
à la modeste maison d'Ajaccio, à la pénurie de ses
premières années et, se tournant vers son frère, il dit
simplement : « Joseph! si notre père nous voyait! »

On ne rentra aux Tuileries qu'à sept heures, par les
boulevards en feu, sous les lampions et les arcs de
triomphe. Le pape, continuant jusqu'au bout son rôle
de modeste chapelain, ne quitta Notre-Dame qu'un
quart d'heure après l'Empereur. Il y était resté pendant
huit heures! Il lui fallut, le soir, assister au repas de
gala, où, remarque le cardinal Consalvi, « il n'occupa
que la troisième place ». Et dès le lendemain, il reprenait son existence sans faste, toute de réserve et de
discrétion.

Il avait accompli ce qu'on exigeait de lui, il crut
pouvoir solliciter la compensation de ses complaisances;
il demanda timidement qu'on lui rendît Avignon en
France, Bologne et Ferrare en Italie; mais l'Empereur
fit la sourde oreille. Il fut généreux sur d'autres points :
les présents qu'il offrit au Saint-Père furent splendides;
outre la tiare de 180 000 francs, il lui fit don d'une
chapelle en or repoussé qui ne fut, d'ailleurs, ni terminée, ni livrée, et qu'on envoya en 1810 à Saint-Denis.
Chacun des cardinaux reçut un rochet en dentelles, de
la valeur de 10 000 francs; on distribua au service
d'honneur et aux domestiques 220 000 francs de diamants. Quant aux tabatières, nul ne pourrait les
compter; tout l'atelier d'Isabey était occupé à peindre
en miniature le buste de l'Empereur, que l'orfèvre
Biennais montait sur des boîtes d'or, et qu'on distribuait
à foison.

Pourtant le Saint-Père ne se montrait pas satisfait,
encore qu'il sût garder jusqu'au bout sa patience et sa
résignation. On se quitta « en froid ». A la fin de mars,
Napoléon prit congé du Souverain Pontife, et partit
pour l'Italie. Le pape ne quitta Paris qu'un mois après

le départ de l'Empereur. La population ne s'était point lassée de sa présence, c'étaient toujours les mêmes acclamations, le même agenouillement. Au reste, il sortait peu, ne quittant le Pavillon de Flore que pour aller visiter les églises, et menant toujours sa vie simple, toute de prière et d'abstinence, étonnant les chambellans qui le servaient par sa douceur, sa modestie et sa stupéfiante sobriété.

A la fin d'avril seulement, il se remit en route pour sortir de France. Il devait y rentrer, huit ans plus tard, sous une escorte de gendarmes, prisonnier de celui qu'il avait sacré César, au nom de Dieu.

NAPOLÉON STÉNOGRAPHIÉ

Ce qui a si longtemps détourné les Français de la lecture de l'Histoire, c'est qu'ils n'ajoutaient pas foi à ce que les chroniqueurs leur racontaient. Ils ne se reconnaissaient pas dans ces récits d'inépuisable haleine, car les historiens soucieux de forme académique, en se croyant obligés, pour être classiques, d'imiter les anciens, prenaient le ton emphatique, excluaient tout détail familier ou pittoresque, et s'ils faisaient parler les personnages, leur attribuaient de longs discours en trois points, avec exorde et péroraison, à la façon de Tite-Live. Tel était alors le bon genre. Or, le lecteur, qui n'est point sot, comprenait bien que « ça ne s'était pas passé comme cela »: pris de méfiance, il fermait le livre et retournait aux romans dans lesquels, du moins, il retrouvait des héros s'agitant comme lui, parlant comme lui, s'arrêtant quelquefois de discourir pour dormir ou pour manger et ne se croyant pas obligés de ne se montrer que juchés sur un piédestal.

Les historiens contemporains ont changé tout cela : ils ont ouvert des fenêtres et fait pénétrer l'air dans les sombres cryptes du passé. Au souffle de cette bouffée vivifiante, les héros momifiés se sont ébroués; aujourd'hui ils vont, ils viennent, ils marchent, et quand par hasard on leur rend la parole, ils s'expriment sans rhétorique. Et nous voilà au moins débarrassés pour toujours des longues homélies et des éloquentes apostrophes qui rendaient les récits d'Histoire aussi pompeux qu'illisibles.

Ceux qui avaient vécu avec Napoléon n'ont pas échappé à ce traditionnel besoin de maquillage. Ils ont orchestré les mots de l'Empereur, lui prêtant un style froid, mesuré, grave, uniforme, croyant en cela servir sa gloire et ne s'avisant pas qu'ils la dénaturaient. Avec les trois notes de *Au clair de la lune,* un musicien sans génie peut écrire toute une symphonie, rien qu'en développant le thème et en changeant le ton et le rythme. C'est ce que la grande Histoire a fait des paroles de l'Empereur. Ses moindres réflexions ont été lardées de commentaires, et ça ressemblait si peu à ce qu'on imaginait de cet homme jeune, toujours pressé, ayant l'habitude de vivre parmi les soldats, n'aimant pas « les choses qui traînent », vif, emporté même et surtout détestant « l'avocasserie » et les termes d'école, que nous sentions bien qu'un « teinturier » avait travaillé là et que tout cela était passé au polissoir.

Aujourd'hui nous sommes fixés. Napoléon ne se lançait pas en des périodes cicéroniennes; il parlait comme tout le monde. M. le général Robillot a retrouvé dans ses papiers des comptes rendus, « sténographiés » en 1804 et 1805 par un auditeur au Conseil d'Etat et dont la brève sincérité nous permet « d'entendre » l'Empereur aussi nettement que si quelque phonographe prématuré eût recueilli ses causeries. Et nous voilà assistant indiscrètement aux séances du Conseil d'Etat et surprenant Napoléon s'y mettant à l'aise, discourant en pleine liberté, « se parlant à lui-même, tout haut, avec des éclats de voix, déchaînant ses ressentiments, ses colères, prodiguant son raisonnement précipité, bouillonnant, sans liaison ni méthode, mais plein de franchise, de vigueur, de saillies ». Ceux qui ne jugeraient pas ce reportage d'une correction suffisamment digne n'auront qu'à se rejeter sur la lecture du Code.

Ce n'est pas qu'elles fussent dénuées de tenue, ces réunions de la docte assemblée; on les entourait même, au moins quant au décor, d'une certaine solennité. C'est aux Tuileries, dans une salle voisine de la chapelle, salle plus longue que large, prenant jour sur le Carrousel et précédant la salle de spectacles. Au plafond, le tableau de la bataille d'Austerlitz. Au milieu de la pièce, deux tables parallèles, placées dans le sens de la longueur, figurant les deux branches d'un fer à cheval. C'est là que prennent place les conseillers, sur deux rangées qui se regardent, l'espace entre les deux tables demeurant vide. Chacun est assis à la place désignée par un carton portant son nom et renfermant ses papiers. Au fond de la salle, sur une estrade, la table de l'archi-chancelier et celle de l'architrésorier, derrière lesquelles, sur une marche plus haute, le fauteuil de l'Empereur. A l'autre extrémité du salon, une table encore, en travers celle-ci, réservée aux maîtres des requêtes qui font ainsi face au fauteuil impérial. Des chaises rangées le long des murs sont destinées aux auditeurs.

Le mardi et le vendredi il y a séance à dix heures ou à midi. Quand le Conseil est assemblé, on entend les tambours battre aux champs dans la salle des Gardes; la porte s'ouvre, un huissier dit : « L'Empereur! » Tous les assistants se lèvent, et Napoléon, contournant la table des maîtres des requêtes, puis passant entre les deux tables des conseillers, gagne le fauteuil de la présidence. Le colonel général de la garde, l'aide de camp et le chambellan de service se placent derrière lui : la séance commence. D'un mot, Napoléon indique l'affaire dont il veut qu'on s'occupe : *Code criminel — Frais de justice — Conscription...* Le conseiller chargé du rapport en fait la lecture et la délibération s'engage. Chacun peut prendre la parole; on parle de sa place et assis; on ne doit pas lire; il faut improviser et la discussion reste toujours familière, exempte des inconvénients de tribune où, disait Rœderer, l'auditoire se partage « entre les orateurs qui entraînent et les orateurs qui endorment ».

Il est malaisé de choisir dans les procès-verbaux sténographiques publiés par M. Marquiset, et plus difficile encore de les résumer; mais comme, en ce genre, ce qui est textuel est préférable à tout commentaire, essayons de quelques citations. Il s'agit de désigner l'endroit où aura lieu le couronnement; l'Empereur, qui ne déguise pas sa pensée, dit : « Pourquoi ne pas choisir une autre ville que Paris où il y a tant de canaille? Quand ce ne serait que pour faire voir aux Parisiens qu'on peut gouverner sans eux. » Le voilà qui s'anime : « Tant que j'aurai du sang dans les veines, je ne me laisserai pas faire la loi par les Parisiens. Il ne me faudra pas deux cent mille hommes, j'en ai assez de quinze cents pour mettre Paris à la raison. Je finirai par mettre la main sur ces messieurs et les envoyer à deux cents lieues... Ce sont des gens à p... dessus... N'est-il pas honteux qu'on dise aujourd'hui que Pichegru a été étranglé dans sa prison! »

Plusieurs membres observent que c'est donner trop

d'importance à de tels bruits; en réalité, il n'y a pas d'opposition.

L'EMPEREUR. — Je crois bien! Il ne peut pas y en avoir.

PLUSIEURS MEMBRES. — On est tranquille.

L'EMPEREUR. — Parce qu'on ne peut pas bouger.

Un autre jour, on discute les emblèmes dont sera marqué le sceau impérial, question délicate à traiter devant cette assistance dont plusieurs membres sont d'anciens révolutionnaires, ralliés de fraîche date. Il y a là Berlier, ex-membre du Comité de Salut public; François de Nantes, un des plus fougueux tribuns de la Législative; Réal et Treilhard, ci-devant jacobins; Defermon, naguère conventionnel. C'est miracle de voir avec quel entrain ces rudes hommes, qui ont coudoyé Robespierre et qui gardent au fond du cœur l'image de la République, s'occupent à restaurer, avec tous ses « hochets », la monarchie qu'ils ont abattue, et dans le lieu même où a siégé la Convention, bien oubliée. Un membre propose de graver sur le sceau soit un lion, soit un aigle, soit un éléphant. La commission s'est déclarée pour le coq; on pourrait y mettre « l'égide de Minerve, une fleur, le chêne, un épi de blé... »

L'EMPEREUR. — Le coq est de basse-cour. C'est un animal trop faible.

Quelqu'un émet l'idée des abeilles, « symbole d'une République qui a un chef ». On met aux voix. Le coq a la majorité. L'Empereur insiste : « Le coq n'a point de force : il ne peut pas être l'image d'un empire tel que la France. Il faut choisir entre l'aigle, l'éléphant ou le lion... Il faut prendre un lion, étendu sur la carte de France, la patte prête à dépasser le Rhin. Malheur à qui me cherche! »

Et le costume du couronnement : un déguisement!
Il n'en veut pas : « Quand vous m'emmailloterez de
tous ces habits-là, j'aurai l'air d'un magot. Avec vos
habits impériaux vous n'en imposerez pas au peuple
de Paris qui va à l'Opéra où il en voit de plus beaux
à Laïs ou à Chéron qui les portent beaucoup mieux
que moi. Est-ce que vous ne pouvez pas ajuster votre
manteau par-dessus mon habit, comme je suis là? »

On ne traitait pas que des minuties décoratives au
Conseil d'Etat. Le 20 mars 1805, on parle des frères
ignorantins : leur confiera-t-on les écoles? Berlier,
Treilhard et Réal, les ex-jacobins, jugent l'établissement
dangereux. Pas de retour aux congrégations. L'Empereur prend feu : « Avons-nous une instruction publique? Non. Les lycées sont remplis de femmes... On
n'a vu jusqu'à présent de bons enseignements que dans
les corps ecclésiastiques. Je préfère voir les enfants d'un
village entre les mains d'un homme qui ne sait que son
catéchisme et dont je connais les principes, que d'un
quart de savant qui n'a point de base pour sa morale et
point d'idée fixe. La religion est la vaccine de l'imagination, elle la préserve de toutes les croyances dange-
reuses et absurdes. Un frère ignorantin suffit pour dire
à l'homme du peuple : « Cette vie est un « passage... »
Si vous ôtez la foi au peuple, vous n'aurez que des
voleurs de grand chemin... »

La discussion, parfois, devenait orageuse. L'Empereur ne fut-il pas, certain jour, interrompu trois fois
dans son discours? S'adressant à celui qui lui avait
coupé la parole, il signifia : « Monsieur, je n'ai pas
fini, je vous prie de me laisser continuer. Après tout, il
me semble qu'ici chacun a bien le droit de dire son
opinion! » Tout le monde rit. Napoléon avec les autres.

Celui de tous qui lui résistait le plus était Treilhard, et une victoire sur ce logicien opiniâtre donnait au vainqueur de Marengo « plus de mal que le gain d'une bataille ». Quelquefois Napoléon devait s'avouer vaincu : personne n'était de son avis. « Messieurs, dit-il un jour, on prononce ici par la majorité; je demeure seul; mais je vous déclare que dans ma conscience, je ne cède qu'aux formes; vous m'avez réduit au silence et nullement convaincu... »

Infatigable, il prolongeait les séances; plusieurs durèrent toute la journée et quelquefois toute la nuit. En voyant ses jurisconsultes épuisés, tombant de sommeil, l'Empereur s'amusait à continuer la discussion. Il la suspendait enfin, se retirait et allait se mettre au bain, tandis que les libérés se precipitaient dans une pièce voisine où étaient dressées des petites tables magnifiquement servies. C'est là que quand ils étaient un peu rassasiés, ils donnaient libre cours à leur enthousiasme et échangeaient des courtisaneries admiratives : « Surprenant!... Quel homme!... Il est à lui seul une législation incarnée. » On ne rencontra jamais qu'un seul conseiller qui ne fût pas ébloui par le prestige rayonnant du maître : c'était le duc de Broglie. Comme on l'interrogeait sur les fameuses séances où Napoléon se montrait orateur et légiste : « Il faut croire, répondit-il, que j'ai joué de malheur, car à toutes celles auxquelles j'ai paru, je ne lui ai entendu dire que des *coque-cigrues*. »

J'ai idée que le mot, s'il est authentique, ne dut être prononcé qu'après 1815, alors que Louis XVIII était solidement établi sur le trône et l'Empereur à Sainte-Hélène.

SECRÉTAIRE DE L'EMPEREUR

Un placide notaire de petite ville écrivit ses *Mémoires,*
encore inédits, et pour toujours sans doute, car l'énorme
cahier où ce brave homme consigna les impressions de
sa vie sans aventures forme le plus somnifère manuscrit
que j'aie lu.

J'en ai retenu une anecdote; une seule, que voici. A
l'époque où il terminait ses études de droit, le futur
tabellion, un peu effrayé de l'austère existence qui se
préparait pour lui en province dans l'étude paternelle,
essaya de se créer une situation à Paris et se fit
admettre, en qualité d'attaché, au cabinet du ministre
de la Guerre. C'était au temps du premier Empire.
On travaillait douze heures par jour à l'établissement
des états de l'armée; tous les employés, depuis les chefs
jusqu'aux simples surnuméraires, montraient un zèle
qui passerait pour de l'indiscrétion dans les administra-
tions d'aujourd'hui. Le ministre Berthier connaissait
personnellement ses plus infimes collaborateurs; il les
encourageait, les excitait à la besogne, les retenait à
dîner quand le travail pressait et qu'il fallait passer
la nuit; ce à quoi chacun consentait de bonne grâce :
l'enthousiasme était alors la règle jusque dans les
bureaux.

Un jour le ministre fait appeler ses six attachés; il
leur annonce que l'un des secrétaires particuliers de
l'Empereur est malade, obligé de quitter son service,
et que Sa Majesté demande *une belle main* pour
compléter son cabinet. Une page de prose est dictée aux
jeunes gens en manière d'épreuve; chacun s'applique de
son mieux, le cœur battant, le cerveau en fièvre, à l'idée
que le maître du monde choisira, au vu de ces six
feuillets, l'heureux prédestiné dont se trouveront, d'un
seul coup, assurées la gloire et la fortune.

Les dictées finies sont portées par le ministre aux
Tuileries; une heure d'attente anxieuse, de rêves dorés,
d'illusions folles. Enfin Berthier rentre à son hôtel;
sa voiture s'arrête au perron; il monte l'escalier; il
pénètre dans le salon où languissent les six attachés,
blêmes d'angoisse; il nomme l'un d'eux; — ce n'était
pas mon futur notaire, mais l'un de ses amis, S..., qui,
je crois, était de Valenciennes.

« Monsieur, l'Empereur vous a désigné; montrez-vous
toujours digne de cet insigne honneur; allez, Sa Majesté vous attend. »

Les autres, en bons camarades, embrassent leur for-
tuné collègue, un peu pâle, très ému, abasourdi, pour
tout dire, de l'écrasante aubaine; on le brosse, on le
gante, on étale son jabot, on lisse son chapeau, on
l'accompagne en triomphe jusqu'à la voiture qui l'attend. Il part. Le travail, ce jour-là, fut sans entrain au
ministère; on songeait à l'absent, on le suivait en pensée : « Il entre au *Château*, il traverse les antichambres,
il est accueilli par l'Empereur, le voilà installé, il entend la
voix du dieu, reçoit ses confidences, collabore avec lui... »

Et tandis qu'on envie son bonheur, la porte du
bureau s'ouvre brusquement : c'est lui! Dans quel état!

Sans chapeau, sans gants, les cheveux en désordre, tremblant de tous ses membres; il s'écroule sur une chaise, pâmé, sans voix, claquant des dents... Quand il put enfin parler, il raconta, tout haletant encore. Admis chez l'Empereur, il l'avait trouvé seul, marchant à grands pas dans son cabinet. Napoléon, toisant d'un coup d'œil son nouveau secrétaire, lui avait désigné la chaise et le bureau placés dans l'embrasure de la fenêtre : « Mettez-vous là. » Puis il avait repris sa promenade sans plus s'occuper de lui, gesticulant, grommelant çà et là quelques phrases entrecoupées, « qui ressemblaient à des jurons », et parfaitement inintelligibles. Il paraissait être de fort maussade humeur. S..., très mal à son aise, le suivait furtivement des yeux, n'osant tourner la tête, le front bas, retenant son souffle et attendant un ordre.

L'Empereur marcha ainsi durant une demi-heure, grondant, à part soi, des mots que l'autre, par discrétion, tâchait de ne pas saisir. Enfin, traversant la pièce à grands pas, Napoléon se rapprocha subitement; le jeune homme, le cou rentré dans les épaules, sentit le dieu tout près de lui, contre sa chaise.

« Relisez-moi ça, fit l'Empereur.

— Relire quoi, Sire?

— Ce que je viens de dicter.

— Di... dicter? balbutia S...; je ne savais pas... je n'ai rien écrit... je croyais... »

La foudre tombant sur les Tuileries et renversant le vieux palais eût causé au pauvre garçon moins d'effroi que le cri de colère qui trancha net sa phrase. Comme un homme échappé à une grande catastrophe, il ne s'était d'ailleurs rendu compte de rien et n'en pouvait dire davantage. Il s'était trouvé dehors, avait traversé

Paris, tout courant, se dirigeant d'instinct vers le ministère, n'ayant qu'une idée : échapper au danger, se mettre à l'abri, se réfugier parmi ses camarades. Il en fut malade pendant cinq jours; jamais, au reste, il n'entendit parler de l'aventure et ne remit plus les pieds aux Tuileries; de toute sa vie, qui fut longue, il lui fallut se faire violence pour traverser le jardin, et trente ans après que Napoléon fut mort à Sainte-Hélène, M. S... n'apercevait pas de loin les dômes du Château sans être saisi d'un petit frisson rétrospectif.

Le trait m'est remis en mémoire par la lecture des *Mémoires du baron Fain, premier secrétaire de l'Empereur,* publiés par ses arrière-petits-fils. Depuis la retraite de Méneval, le baron Fain ne quitta, pour ainsi dire, Napoléon ni jour ni nuit. On juge combien ses souvenirs sont précieux : Fain vit tout, écrivit tout. Il entrait, dès l'aube, dans le *cabinet intérieur* et prenait place à la table placée dans l'embrasure de la fenêtre, le dos tourné à l'Empereur, qu'il ne voyait point, par conséquent, mais qu'il entendait aller et venir, marcher, gronder, froisser des papiers.

La pièce était assez vaste, encombrée de dossiers — Fain en donne le plan détaillé. Derrière une porte verrouillée, communiquant à un corridor sombre, guettait continuellement, dans un renfoncement noir, un huissier, gratifié du titre de *garde du portefeuille;* deux hommes, à tour de rôle, étaient chargés de cette surveillance, Landoire et Haugel : l'un relevait l'autre après vingt-quatre heures de faction; le garde du portefeuille restait là sans bouger, sans se dégourdir, mangeait là, dormait là — quand il dormait —, et ne s'absentait pas un seul instant.

La ponctualité exigée du secrétaire n'était pas moins absolue. A l'entrée du maître, vers sept heures du

matin, Fain était déjà à son poste; il se levait quand
l'Empereur paraissait, se tenait un instant debout et
reprenait sa place, silencieux comme les meubles de la
pièce, ayant à portée de sa main un paquet de feuillets
blancs dont il saisissait l'un quand Napoléon disait :
« Ecrivez! » C'était un affolant travail; la dictée de
l'Empereur ressemblait à un monologue bredouillé; il
parlait si vite que la plume ne pouvait suivre; il fallait
aller à tout risque pour ne pas être débordé par les
phrases qui se heurtaient, se coupaient, s'enchevê-
traient... L'art était d'abandonner des *blancs* à propos
pour rester constamment au fil du discours; on remplis-
sait ensuite quand la presse était passée. Napoléon
s'animait peu à peu; il se levait, parcourait à grands
pas la chambre; il fallait, en lui tournant le dos, et sans
s'aider par conséquent de la mimique, saisir à la volée
des chiffres, des termes techniques, des noms propres
écorchés quelquefois au point d'être méconnaissables.
L'Empereur disait, par exemple, l'*Ebre* pour l'*Elbe*.
Smolensk pour *Salamanque*, et *vice versa*. Un nom polonais se confondait toujours, dans son vocabulaire, avec
Badajos, et quand il parlait d'*Hysope*, c'était de la
forteresse d'*Osopo* dont il était question.

Quand la dictée s'arrêtait, le secrétaire en profitait
pour recopier le griffonnage informe qui en était le
résultat. Mais le maître s'était remis au travail; il secouait des papiers, signait, se levait, jetait un dossier
sur la table de Fain : « Expédiez! » Puis il s'adossait à
la cheminée. dépouillait son courrier, ouvrait ses dépêches, indiquait la réponse : « Ecrivez! » Il laissait
tomber sur le tapis toutes les lettres décachetées :
c'était le *répondu*. S'il sortait un instant, vite Fain se
précipitait, ramassait tout, rangeait, classait, cherchait

à comprendre ce qu'il n'avait pu que deviner dans les phrases hachées de l'Empereur. Celui-ci bientôt rentrait, se remettait à sa table : « Ecrivez! »

En campagne, pas de repos : dès l'arrivée au bivouac, n'importe où, dans une chaumière ou sous la tente, la table du secrétaire était dressée, le travail disposé, le courrier en ordre, l'homme à son poste, prêt à fonctionner. Le conquérant ouvrait ses portefeuilles, signait : « Expédiez! » Fain expédiait. « Ecrivez! » Fain interrompait sa copie et prenait un feuillet blanc. Il était parfois à ce point terrassé par la fatigue qu'il avait peine à se tenir éveillé. La tente de Napoléon, dressée à la hâte, souvent en pleine nuit, sans qu'on prît le temps de déblayer le terrain où on la développait, se composait d'un vaste pavillon en coutil rayé, formant deux pièces; dans celle du fond, l'Empereur dormait sur un petit lit; dans la première, servant d'antichambre, on posait à terre un coussin pour le secrétaire, afin qu'il fût là, prêt au premier réveil du maître : « Ecrivez! » Un soir, — c'était après une bataille, — Fain, brisé de lassitude, s'était glissé sous la tente, et dans l'accablement du sommeil, il avait cru s'étendre sur quelque portemanteau des équipages. Qu'on juge de son réveil! L'oreiller de la nuit était *un mort frais de la veille!*

Au total, un terrible métier. On raconte que Napoléon, un jour de bonne humeur, dit à son secrétaire en lui pinçant l'oreille : « Eh bien, vous aussi vous serez immortel! — Et pourquoi, Sire? — N'êtes-vous pas mon secrétaire? »

L'Empereur avait raison : les noms de ceux qui vécurent à ses côtés, dans l'intimité du travail, ne périront jamais; mais on peut reconnaître que c'est un honneur qu'ils ont péniblement gagné.

LES FICHES DE NAPOLÉON

Dans tous les récits, drames historiques, pièces à spectacles, pantomimes de cirque où Napoléon figure, on
le voit, passant en revue ses grognards, s'approcher de
l'un d'eux, lui tirer la moustache ou lui pincer l'oreille
en l'appelant par son nom; et le soldat, immobile,
dans la position du « présentez armes », sanglote
d'orgueilleuse émotion, a la conviction que l'Empereur
le connaît. De là, naquit la légende populaire du petit
caporal sachant le nom de tous les militaires de ses
armées, — et il y en avait! Je pense qu'il faut d'abord
en rabattre : sans doute le grand homme se plaisait à
lire et à relire continuellement ses « états de situation »;
il s'instruisait incessamment du nombre d'hommes dont
il pouvait disposer et l'on prétend même qu'il n'ignorait rien du chiffre des gargousses et des boulets contenus dans les caissons de ses artilleurs. D'autre part, les
Souvenirs de ses secrétaires nous apprennent qu' « il
ne possédait pas la mémoire des noms »; ses dictées, on
l'a vu, abondaient en confusions déroutantes : d'où l'on
peut conclure que, en certaines circonstances, il avait
ses souffleurs, ce qui lui permettait de témoigner, à
l'improviste, d'une surveillance minutieuse et d'une

documentation précise dont le prestige tenait tous les services sur le qui-vive.

N'importe, son intelligence quasi surhumaine était insatiable de savoir, et, à l'apogée de sa puissance, alors que la France comprenait cent trente départements, il rêva de connaître individuellement ses quelque cent millions de sujets, leur histoire, leur foi religieuse, leur opinion politique, leur passé, leur fortune, leurs qualités morales et physiques et leurs défauts, afin d'être pour ses peuples l'égal de Dieu qui, du haut du ciel, pénètre l'âme de tous les humains. Il ordonna donc de dresser une fiche signalétique de chacun de ces grains de poussière sur lesquels il régnait; nul ne devait être exempt de cette inquisition, si voisin du trône qu'il pût être; la vie de tous devait être mise à nu : princes, maréchaux, ministres, propriétaires, négociants, marchands, manufacturiers, notaires, avocats, gens de loi, médecins, hommes de lettres, artistes, prêtres, fermiers, petits cultivateurs, ouvriers, artisans, gens à gages, indigents et mendiants... Les historiens et les fouilleurs d'archives étaient honorés d'une surveillance spéciale, et cela les revanche un peu — rétrospectivement — du discrédit, voire du dédain, dont sont aujourd'hui l'objet ces inutiles radoteurs de vieilleries. Le soin de mettre en œuvre cette formidable enquête était confié au ministre de la police qui la désigna sous l'administratif euphémisme de *Statistique personnelle et morale.* Fouché eut la témérité de l'entreprendre, en 1807, et son successeur, Rovigo, celle de la continuer. Il y a, aux Archives nationales, une montagne de paperasses représentant, sous un volume de plus d'un mètre cube, un poids total de 150 à 200 kilos. C'est le reliquat des « Fiches impériales ».

Résultat piteux et qui déçoit grandement la curiosité des chercheurs. On s'attendrait à trouver là les
indications les plus indiscrètes et les révélations les plus
piquantes; ce devrait être un nid à scandales; ce n'est
qu'un fatras dont la consultation est fastidieuse, et cela
s'explique : les circulaires du ministre étaient, il est
vrai, très engageantes; elles enseignaient aux préfets que
la statistique « devait être le tableau moral de la
nation, l'histoire de chaque individu, l'effroi des mé-
chants, l'espoir du mérite » et deviendrait « une source
féconde de lumières pour le gouvernement »... Elles
incitaient les dévoués fonctionnaires à suivre « dès leur
enfance et dans toutes les circonstances de leur vie »
leurs administrés; et, à ces circulaires, le ministre joi-
gnait des modèles de tableaux, divisés en une série de
colonnes affectées, les unes à la situation ancienne, à la
situation présente, à la fortune du mari, à celle de la
femme, les autres à la moralité, à la conduite, à la
considération personnelle, à l'influence, aux opinions;
une colonne plus large était réservée aux renseignements complémentaires susceptibles d'un certain développement. Bref l'Empereur désirait « comme un portrait de chaque famille avec tous ses membres ».

Les préfets et leurs agents restèrent tout d'abord pan-
tois au reçu de ces instructions. Où prendre les infor-
mations? A qui s'adresser? Comment poursuivre cet
espionnage et s'immiscer dans le secret des familles sans
se mettre à dos les gens les plus honorables? La province, de tout temps, méfiante et cachottière, dissimule
avec âpreté ses tares et plus encore ses profits. Par quels
moyens déjouer cette prudence héréditaire sans se
rendre odieux ni se compromettre? Aux prises avec ces
difficultés quasi insurmontables, quelques fonctionnaires

essayèrent de ruser et s'empressèrent de rédiger des masses de fiches concernant des petites gens sans surface ni influence, stratagème qui leur valut une semonce du ministre : « Je n'ai point entendu vous demander, écrivait-il, l'histoire de cette foule d'individus qui n'intéressent l'Etat que par leur masse... Quel pourrait être l'effet de ce recueil aussi étrange qu'insignifiant? » D'autres, redoutant la divulgation de leurs appréciations, servirent à leur chef des tonneaux d'eau bénite et de sirop, substituant à des jugements sérieux et motivés des observations vagues, incolores et officiellement optimistes. Nouvelle réprimande : « Vous dites que tous ceux qui sont portés sur vos états jouissent d'une bonne réputation et sont d'une moralité reconnue... Vous avez tort de n'y pas comprendre ceux dont la réputation n'est pas bonne; j'appelle votre attention sur cette classe d'individus. » Il fallait s'exécuter : le préfet de Tours, désireux de ne se brouiller avec personne, estime que nul ne saurait mieux le renseigner sur le compte de ses administrés que ses administrés eux-mêmes; il leur envoie donc leurs fiches à remplir, et il en résulte que le département d'Indre-et-Loire, à en juger par la statistique, est uniquement peuplé de citoyens d'une conduite exemplaire, disposant de très médiocres revenus — car on se méfie — et passionnément épris du régime impérial. Le ministre de la police n'en croit pas ses yeux : il a évidemment une assez piètre opinion de l'humanité, car il s'étonne que cette heureuse contrée ne comprenne pas la proportion normale de fripons et de suspects supputée par son expérience, et il tance vertement de sa nigauderie le pusillanime préfet. Le plus sincère est celui du Finistère; mais, effrayé de son courage, il accompagne l'envoi de ses fiches d'une lettre éplorée, conjurant le ministre de prendre garde aux « fuites »; il craint « la facilité qu'ont les intrigants à connaître les dépôts les plus secrets du gouvernement »; il craint aussi « l'insouciance des employés qui l'exposerait, lui et sa famille, à des inimitiés et à des vengeances ». « Je suis père, ajoute-t-il, d'une santé faible qui peut à chaque instant laisser mes enfants sans soutien; je vous supplie de faire disparaître, après avoir pris connaissance de mon travail, toute trace que ces renseignements émanent de moi. » Ce brave avait plus peur encore que les timides.

Pour ces causes, et pour d'autres, le travail d'Hercule imposé par l'Empereur à ses fonctionnaires ne dut le satisfaire que très médiocrement. L'histoire de la *Statistique personnelle et morale* nous a été contée par M. Léon Deries, en un savant et très plaisant article de la *Revue des études historiques*. M. Deries a compulsé patiemment la correspondance à laquelle cette tentative d'inquisition donna lieu; il a consciencieusement remué les deux quintaux de paperasses qui n'ont aujourd'hui, conclut-il après examen, pas plus de valeur qu'elles n'en eurent jadis. Pourtant les curieux de la petite Histoire y trouvent maintes indications qui ne sont pas indifférentes aux amateurs de minuties anecdotiques; ainsi nous apprenons que, à Paris, au numéro 53 de la rue des Fossés-du-Temple, habite, en 1810, la femme Nicolet, veuve de l'entrepreneur du spectacle des grands danseurs du roi; elle a 50 000 francs de revenu, plus un huitième sur les recettes du théâtre de la Gaîté, ce qui lui vaut 25 000 à 30 000 francs par an. Son coffre-fort est bien garni; il doit contenir plus de 40 000 francs, et les opinions poli-

tiques de la dame sont tout en faveur du gouvernement. — Même rue, numéro 77, demeure Foulon, fils
d'un tabletier inventeur du jeu de dominos, d'où sa
grande fortune. L'épiscopat a ses fiches comme les vul-
gaires laïques; voici, à titre de spécimen, celle
de Mgr Charles-François-Melchior-Bienvenu Miollis,
évêque de Digne, le prélat que Victor Hugo a immor-
talisé en faisant de lui le protagoniste des *Misérables* :
« Attaché au gouvernement... Influence nulle, se livre
uniquement, et même au-delà de ses obligations, aux
devoirs de son état ». *Au-delà de ses obligations...* C'est
bien là le bon évêque qui achète au forçat Jean Val-
jean son âme et la paye de ses couverts et de ses chan-
deliers d'argent... Les magistrats ne sont pas à l'abri
des mouchards du ministre qui les jugent bien sévèrement; à croire ceux-ci, le tribunal de Mamers, par
exemple, n'est composé que d'ivrognes invétérés, ex-
jacobins ou prêtres défroqués, sans mœurs, sans principes et, par surcroît, ayant pour la plupart épousé leurs
cuisinières.

Mais voici le gracieux rayon des demoiselles à marier;
car l'Empereur cherche, par des manœuvres discrètes
ou non, à découvrir de bons partis pour ses hauts fonctionnaires civils ou militaires; il les mariera à la façon
des vétérans qui convolent avec des cantinières — au
son du tambour. L'habitude des camps! Ses ordres sont
précis : il lui faut la liste de toutes les héritières de
France « dans l'âge de quatorze ans et au-dessus »; la
fiche devra porter, outre le nom de la jeune fille, le
chiffre de sa dot, un tableau de ses talents, de sa
conduite, de ses principes religieux, de ses agréments
physiques ou de ses difformités. C'est la conscription
des femmes : le conseil de revision leur est, par un reste

de pudeur, épargné. Sitôt qu'un projet de mariage est signalé par la rumeur locale, le préfet doit en informer le ministre « assez à temps pour que celui-ci puisse adresser, s'il croit devoir intervenir, ses ordres à l'autorité compétente ». Ainsi ne suffira-t-il plus, désormais, qu'une jeune Française plaise à son prétendu; il lui faudra plaire encore aux bureaux de la police.

Pour la première fois depuis qu'il règne sur le monde, Cupidon se voyait traité en suspect et ne pouvait plus lancer ses flèches sans l'autorisation de Sa Majesté l'Empereur et roi. En quoi celui-ci s'attaquait à plus fort que lui; et c'est peut-être de cela que mourut la *Statistique personnelle et morale* dont l'existence éphémère ne laisse dans l'Histoire que la trace d'une mesure avortée, odieuse, un peu folle et passablement ridicule.

QUAND ON HÉBERGEAIT L'EMPEREUR

Une des rencontres singulières de l'histoire est le goût très prononcé que Napoléon éprouva toujours pour les gars de la Vendée, les chouans, ceux que les bleus appelaient les *brigands* et que lui, l'Empereur, nommait les *géants*. Charette était son homme : il l'estimait comme confrère et ne dédaignait pas d'étudier sa stratégie, — ce qui, certainement, eût beaucoup étonné Charette, soit dit en passant. Lorsque l'abbé Bernier rappelait à Bonaparte les souvenirs qu'il gardait de l'insurrection bretonne, il lui semblait que le vainqueur de Marengo « était jaloux de ces héros qu'il n'avait pas commandés ». Chose plus surprenante, tous ces gars du Bocage et de Bretagne, qui s'étaient si obstinément battus pour le rétablissement du trône des Bourbons, avaient un faible pour l'usurpateur. Outre qu'ils voyaient en lui le restaurateur de leur religion, ils comprenaient qu'il était en quelque sorte des leurs et « qu'on se serait entendu ».

Cette sympathie entre héros d'opinions si divergentes prêta un caractère très particulier au voyage qu'entreprirent dans les provinces de l'Ouest, en août 1808, Napoléon et l'impératrice Joséphine. La Vendée reçut l'Empereur « mieux qu'elle n'aurait reçu Louis XVI sortant de sa tombe ». Ce voyage est relaté en grands détails par M. Régis Brochet, dans une petite revue d'histoire locale qui s'applique à recueillir les traditions vendéennes et les relations inédites des témoins de la « grand-guerre ».

Ce récit de la tournée impériale abonde en anecdotes précieuses; on y apprend d'abord que Napoléon voyageait un peu à sa fantaisie; son horaire était loin d'être minuté et immuable comme ceux de nos chefs d'Etat d'aujourd'hui; parfois il se faisait attendre durant tout un jour, ou bien il ne séjournait que deux heures là où il avait promis une pleine journée. On y peut encore constater que tout n'était pas rose dans l'honneur de recevoir sous son toit le grand empereur; cette insigne faveur comportait aussi quelques épines : qu'on en juge.

Le 5 août 1808, M. Laval, maire de Fontenay, avisé d'ailleurs depuis plusieurs semaines du passage probable de Napoléon, recevait la visite d'un officier de la maison impériale, venu incognito pour s'enquérir discrètement du logement qui pourrait abriter Leurs Majestés dans le cas où elles s'arrêteraient dans la ville. Le maire, plein de déférence, déclara qu'il serait très heureux si Leurs Majestés voulaient bien prendre gîte chez lui; mais le majordome fit la grimace : « Nous allons voir », dit-il. Et le voilà parcourant la maison, montant de la cave au grenier, redescendant du grenier à la cave, auscultant les cloisons, mesurant les gros murs suspects, plongeant dans les placards, sondant les armoires et frappant d'une baguette les barriques du cellier, « afin de s'assurer qu'elles ne contenaient aucun engin de destruction ». L'inspection terminée, il prévint M. Laval que Leurs Majestés daigneraient peut-être consentir à lui faire l'honneur d'entrer dans sa maison pour s'y reposer un instant et qu'il l'autorisait à tout disposer pour se mettre en état de les recevoir : « D'ailleurs, ajouta-t-il, le chef de la police viendra donner des instructions complémentaires. »

Le branle-bas aussitôt commença dans la maison Laval. Il dura toute la nuit du 5 au 6, puis toute la journée du lendemain, au cours de laquelle on vit, en effet, une bande de *muscadins,* qui n'étaient autres que des gens de police, prendre possession de la ville, dévisageant les passants sous le nez et scrutant de regards soupçonneux les façades de toutes les maisons. On peut croire que M. Laval et sa femme, et aussi leurs gens ne dormirent pas beaucoup la nuit suivante, car le 7 août, un dimanche — le grand jour — avant l'aube, M. le maire était sur pied dans un superbe uniforme flambant neuf : habit à la française rehaussé de broderies et de parements d'argent. A cinq heures du matin, il était, ainsi paré, posté à l'entrée de la ville, sur la route de Niort, à la tête du groupe des autorités, guettant l'arrivée de la berline impériale.

Il attendit de la sorte jusqu'à neuf heures du soir!... Il pleuvait à verse. Tandis que M. le maire gâtait ainsi son bel habit, Mme Laval perdait la tête à surveiller les fourneaux, autour desquels s'agitaient les plus fins cordons bleus du pays; la brave ménagère avait combiné un festin dont on disait merveille et qui devait faire sensation.

Enfin, vers dix heures du soir, sous l'ondée, la voiture de l'Empereur paraît, traverse le faubourg, entre en ville, s'arrête devant la maison Laval, — qu'on voit

encore en face du théâtre, à l'angle de la rue Bar-
nabé-Brisson. L'Empereur descend, s'enferme aussitôt
dans sa chambre. Et le dîner? Il cuit depuis le matin,
mijoté avec quelles angoisses! La table est prête, les
vins « chambrés »... Sa Majesté ne dînera pas : Ses
fourgons La suivent, apportant tout ce qui Lui est
nécessaire, et malgré « les supplications » de Mme Laval, Elle ne veut rien prendre qui ne sorte de Ses
cantines. Ce furent les domestiques qui s'attablèrent et
mangèrent le festin préparé. La bonne Joséphine fut plus
avenante; elle s'intéressa à la fillette de Mme Laval et
lui demanda un morceau de piano, tandis que l'Empereur recevait — à onze heures et demie du soir — le
conseil municipal et s'informait — ça fait penser au
conte du *Petit Poucet* — « de la santé, de la force et
de la quantité de jeunesse mâle de la ville et du pays ».

Enfin, vers minuit, Napoléon, avant de se mettre au
lit — un lit solide en noyer magnifique que M. Laval
avait fait confectionner pour la circonstance, et qui
était (qui est encore, car il existe toujours) décoré de
guirlandes de lauriers et orné aux quatre angles d'aigles
emblématiques —, Napoléon demanda un bain de
pieds. — Vite de l'eau chaude! Pas trop chaude! Et
dans quel récipient la présenter? Un bain de pied vulgaire pour un si grand homme! Est-ce possible? On
découvrit une grande terrine de faïence qu'on jugea
plus digne et on la porta à la chambre impériale, pleine
d'eau claire et tiède. Au même moment, Duroc entrait chez l'Empereur, chargé d'une dépêche qu'un courrier venait de remettre, et sur lui, la porte se referma.

Mais aussitôt on entend un cri de rage, suivi d'un
vacarme tel que toute la maison en tremble d'effroi.
On perçoit, de toutes les pièces, la voix tonnante de

l'Empereur; d'un coup de pied furieux, il a lancé la belle terrine de faïence à l'autre bout de la chambre, où elle est retombée brisée, inondant le plancher. Que se passe-t-il? Le bain de pieds est-il trop chaud? Tous les gens de la suite, médusés, retiennent leur souffle; le ministre Decrès et un secrétaire intime se précipitent vers la chambre impériale; Mlle Laval est prise d'une attaque de nerfs. M. Laval, soucieux de ses devoirs d'hôte, ose s'approcher et s'informe : il est saisi à bras le corps par un aide de camp qui le rappelle brutalement au respect de l'étiquette et l'oblige à faire demi-tour...

Et l'on attend, anxieux... Plus rien, le calme s'est fait. Tout à coup, le bruit court que l'Empereur s'en va. A trois heures et demie du matin, en effet, il monte en voiture avec l'Impératrice et quitte Fontenay sous l'averse et les vivats, laissant la maison Laval dans le désarroi et la consternation que l'on devine. On n'apprit d'ailleurs que plus tard la cause de la subite et terrible colère de Napoléon : Duroc lui venait d'apporter l'annonce de la capitulation de Baylen survenue dix-sept jours auparavant, et qui ne fut connue à Paris que le 9 août.

Il partit donc en pleine nuit, se dirigeant vers Montaigu et vers Nantes, n'ayant rien vu des splendeurs dont les habitants de Fontenay comptaient l'éblouir; entre autres, le bel arc de triomphe haut de douze mètres, dont l'entablement était décoré d'un groupe allégorique de dimensions colossales, découpé en partie, et représentant « l'Empereur dans un char antique, traîné par huit chevaux et couronné par le génie de la France, pendant qu'à ses pieds la nymphe symbolique de la Vendée arrêtait ses eaux et attendait qu'une parole du héros lui fît reprendre son cours et créât à la ville une source de prospérité ». Il partit sans avoir passé en revue ni même aperçu le bataillon de bambins qu'on avait, pour la circonstance, costumés en mamelucks, et qui restèrent blottis, les yeux gros de sommeil, sous les parapluies de leurs mamans.

N'importe, les bourgeois de Fontenay, bonnes gens pas très difficiles, gardèrent un si flatteur souvenir de la visite de l'Empereur, qu'ils en voulurent perpétuer la mémoire : ils lui élevèrent sur le Pont-Neuf, une statue que le vent renversa, du reste, l'année suivante, et qu'on négligea de relever... le séjour de Napoléon, d'après les comptes de la municipalité, ayant déjà coûté à la ville 4 703 francs.

Quatre mille sept cent trois francs, pour un bain de pieds que personne n'avait pris!

LA FONDATION DE NAPOLÉON-VENDÉE

Vous rappelez-vous la conception de Fougas, l'illustre colonel à l'oreille cassée, développant l'idée qu'il se fait de la cité idéale? Une place centrale, immense, autour de laquelle sont groupés le palais de l'Empereur, l'hôtel de la division, les casernes, le corps de garde, le lycée où sont élevés les futurs défenseurs de la patrie, la prison destinée aux soldats insoumis; des rues tirées au cordeau pour que les régiments y défilent à l'aise; des boulevards très larges, afin que les militaires s'y promènent sans être gênés par les pékins, et des maisons toutes pareilles, avec appartements de quinze mille francs de loyer, au premier étage, pour les maréchaux, de huit mille, au second, pour les généraux, de cinq mille, au troisième, pour les colonels; les étages supérieurs devant être réservés aux officiers subalternes et aux fonctionnaires civils, indispensables, tout de même, pour assurer le recrutement des troupes et la punition des réfractaires.

Napoléon avait, sur ce point, les mêmes goûts que le héros d'Edmond About. En décrétant, le 5 prairial an XII, que le département de la Vendée serait doté d'un nouveau chef-lieu, il érigea en préfecture une pauvre bourgade en ruine et ordonna d'y construire une ville modèle.

Politiquement la mesure était justifiée : la ville de Fontenay, jusqu'alors chef-lieu du département, perdue à l'extrémité du territoire, dans la Plaine, n'avait pas réussi, depuis 1789, à s'imposer comme foyer de civilisation. Son rayonnement n'atteignait pas les lointains hameaux du Bocage, on l'avait souvent constaté au temps des guerres civiles, et les esprits sages souhaitaient depuis longtemps que l'administration départementale s'installât au cœur du pays, en une ville qui serait le centre de la Vendée moderne et qui communiquerait la vie à toute la région au moyen de larges artères. La première idée de cette révolution de clochers revient à un certain abbé Herbert, déporté pendant la Terreur, rentré en l'an IX et loyalement acquis aux idées généreuses du Premier Consul. Il exposa son projet au général Gouvion, commandant la 11ᵉ division militaire, aux Sables-d'Olonne; Gouvion soumit l'idée à Bonaparte, qu'elle séduisit. Mais quel point choisir? On songea d'abord à Montaigu, ancien chef-lieu de district, puis à la Chaise-le-Vicomte, bourg situé sur la lisière d'une forêt; on proposa Mareuil et Apremont, simples villages. Bonaparte, penché sur sa carte, désigna lui-même la Roche-sur-Yon dont la position stratégique, à la limite de la Plaine et du Bocage, retint son attention, et le 25 mai 1804 fut publié le décret de fondation; Fontenay, détrôné d'un trait de plume, voyait non sans gémissements et récriminations, on peut le croire, une bourgade infime hériter de sa suprématie.

La Roche se composait, à cette époque, de quelques

maisons en ruine, serrées autour d'un vieux château
démantelé. En 1794, les habitants, chassés par le canon
des bleus et par l'incendie, s'étaient dispersés au fond
des bois. Après la pacification, dénués de tout, incer-
tains de l'avenir, ils n'avaient eu ni les moyens ni le
courage de relever leurs demeures et s'étaient logés
sous des toits de hasard entre des murs calcinés. Telle
était la localité dont une signature de l'Empereur faisait une préfecture, et la première victime de ce boule-
versement fut le préfet lui-même.

Ah! il n'est pas content, le préfet, en recevant le
sénatus-consulte qui dérange ses habitudes. Conforta-
blement installé à Fontenay, il écrit au ministre que
la nouvelle résidence est impossible : à la Roche pas
une maison n'est disponible; pas une, même, n'est habi-
table; les ingénieurs qui vont se rendre sur les lieux
seront obligés d'y camper... La réponse ne se fait pas
attendre : il faut qu'il s'établisse à la Roche sans retard.
Les employés de ses bureaux refusent de le suivre; plusieurs conseillers de préfecture démissionnent, préférant l'abandon de la carrière administrative à la perspective de cette existence de robinsons. Pourtant le
malheureux préfet obéit : il sera le fonctionnaire le
plus mal logé de France; il s'abrite à quinze cents
mètres du bourg, dans ce qui reste d'un ancien manoir
en partie échappé aux colonnes infernales; il case ses
bureaux dans une misérable baraque en torchis; ses
chefs de division sont recueillis par le curé et ses directeurs se tassent, qui dans une grange, qui sous le toit
d'une ancienne écurie. Et ces pauvres gens, consternés
de ce désarroi, doivent cependant chanter un *Te Deum*
d'actions de grâces pour fêter la création de la nouvelle
ville, qui n'existe encore que sur le papier, et célébrer

la gloire de l'Empereur auquel la Vendée doit ce mémorable bienfait!

Car tout reste à faire : le service des constructions
est confié à l'ingénieur Cormier, qui voit grand. La
ville qu'il imagine, superbe, pourrait renfermer soixante
mille habitants. En réalité, la Roche n'en compte pas
trois cents; mais qu'importe? Cormier prend ses compas
et — sur le papier toujours — commence par dérouler
un magnifique boulevard, long de quatre mille mètres
et large de trente-deux. Une place, assez vaste pour
contenir vingt mille hommes, occupera le centre de la
ville : de là partiront quatre grandes avenues vers les
quatre horizons de la Vendée; les rues qui coupent ces
sections symétriques auront douze et seize mètres de
largeur. Pourquoi lésiner? Tous les terrains compris à
l'intérieur du boulevard d'enceinte sont déclarés pro-
priétés de l'Etat; des places secondaires ajoutent encore
à la beauté de l'ensemble : la place des Halles — sans
halles; la place de la Préfecture; la place Circulaire —
une terre labourée. Mais sur les plans qu'on envoie aux
Tuileries cela fait bon effet. Rien n'est flatteur pour
l'œil comme un plan proprement dessiné et lavé de
couleurs tendres; on s'y promène, en imagination, de
la cathédrale à la mairie, du palais de Justice à l'hôtel
Impérial, et Napoléon voit ainsi, de loin, grandir et
s'embellir de jour en jour la ville de son rêve, si bien
qu'il contresigne sans se faire prier un arrêté du préfet de la Vendée, qui, bon courtisan, décide que la nouvelle cité, outre tous ces avantages, aura encore celui
de porter le nom de Napoléon...

Hélas! elle n'existe pas, la nouvelle cité, et ces magnificences sont illusoires. Dès le premier mois, un millier
d'ouvriers sont accourus de toutes parts; mais ce

nombre est insuffisant et les entrepreneurs se plaignent
de la pénurie de main-d'œuvre. Des carrières ont été
creusées un peu partout; l'endroit désigné pour être la
grande place est une excavation profonde d'où l'on tire
des pierres; on arrache dix mille mètres de haies. Pour
activer, car les ordres venus de Paris sont de « faire
vite », Cretet, le directeur des ponts et chaussées,
s'évertue à élever une partie des monuments en pisé;
natif du Dauphiné, il a vu ce système employé avec
succès dans son pays et ne doute pas qu'il aura, en
Vendée, le même résultat. Il fait venir du Lyonnais
trois maçons qu'il institue professeurs en ces matières.
L'effet est déplorable. Cretet avait compté sans le climat
humide du Bas-Poitou : aux premières pluies les pisés
se résolvent en bouillie.

On impose aux concessionnaires de terrains l'obligation de construire; s'ils ne s'exécutent pas avant trois
ans, ils s'exposent à la déchéance : aussi tournent-ils ce
règlement en bâtissant de simples huttes en planches.
On aperçoit, de tous côtés, des baraques informes, véri-
tables cabanes de sauvages; les émigrants pauvres
dressent des abris de paille ou de feuillage. Les casernes sont si laides, avec leurs murs lépreux, en torchis, si peu solides, si malsaines qu'il faudra les jeter
bas; au lycée la pluie pénètre à travers les murailles,
frêles comme de simples paravents; les classes et les
dortoirs sont inondés. Les juges du tribunal campent
dans une maison saccagée; le directeur de l'enseigne-
ment n'a pas d'abri pour ses dossiers; l'inspecteur des
contributions vit sous la hutte; le conseil municipal
ne pouvant entreprendre, faute de ressources, la construction de l'hôtel de ville, siège dans un cabinet, et la
cathédrale projetée n'est pas commencée, l'Empereur

n'accordant pour l'érection de cette basilique qu'un crédit de trois cent mille francs.

Les fonctionnaires qu'un décret expédiait à Napoléon-Vendée et qui, d'après ce nom, imaginaient un Eldorado, se désespéraient à l'aspect de cette cité incohérente; ils couraient à travers les entassements de matériaux, frappant aux portes, implorant un asile, et se voyaient réduits à coucher sous la tente ou même en plein air. Le décret du 28 nivôse an XIII avait bien ordonné l'établissement d'une hôtellerie; mais celle-ci ne fut terminée qu'en 1807; elle s'appela, d'abord, la Grande-Auberge, puis troqua ce nom prosaïque pour celui, plus retentissant, d'Hôtel Impérial. En aucun cas, d'ailleurs, le tenancier ne devait louer à des personnes sédentaires; ses vingt-six lits étaient réservés aux hôtes de passage. Et l'on rencontrera bien d'autres traits de cette lamentable situation dans le volume où M. Emile Gabory étudie les rapports de Napoléon avec la Vendée; histoire extrêmement précieuse et nouvelle d'une évolution telle qu'on n'en vit jamais. En moins de sept ans, à force d'adresse, de bonne administration, de libéralisme indulgent et de tolérance, l'Empire s'attacha ce pays que la Convention, ne pouvant le réduire, avait brutalement tenté de détruire, et sut transformer les cœurs de ces obstinés défenseurs de la monarchie légitime.

La création de Napoléon-Vendée n'est là qu'un épisode; mais il est un des plus curieux, car il montre que même chez les hommes du génie le plus prévoyant et le moins chimérique, l'illusion ne perd pas ses droits. L'Empereur croyait à *sa ville*, il y croyait parce qu'on lui en avait montré les plans et aussi parce qu'il avait consacré dix millions à sa construction. Il en aurait

fallu vingt fois autant! Sa déception fut profonde quand
il put enfin se rendre compte par lui-même des travaux accomplis et de ce qui restait à faire. C'était le
lundi 8 août 1808. Il entra à *Napoléon* vers onze
heures du matin. Hélas! il avait été impossible d'ôter
à la cité embryonnaire son aspect de vaste chantier; de
simples fossés marquaient le tracé de la plupart des
rues; on s'était bien efforcé de donner la chasse aux
oies et aux canards qui pullulaient sur les voies publiques et de dissimuler, au moyen de planches, la carrière de la place Centrale : l'ensemble offrait néanmoins le plus repoussant spectacle de désordre et de
malpropreté. Par surcroît, il tombait sans trêve une
petite pluie fine, pénétrante, qui délayait le sable et la
chaux amoncelés de tous côtés. Les chemins étaient
pâteux; une cohue piétinait ce mortier; quelques drapeaux trempés pendaient aux échafaudages.

Tout de suite la figure de l'Empereur se rembrunit.
Lui qui espérait trouver un Versailles, cahoté dans sa
voiture, exaspéré par le mauvais temps, considérant
avec stupeur ces monuments étriqués, ces demeures
éparses, ces fondrières profondes, ces amas informes de
matériaux, il sentait grandir en lui une irritation
sourde, malgré la tempête d'acclamations et de vivats
dont les Vendéens saluaient son passage. Un appartement avait été préparé pour lui à la Grande-Auberge;
mais après un déjeuner rapide, il monta à cheval et
visita la ville. A la vue des maisons en pisé, sa colère
éclata subitement. Elle ne se calma point devant les
casernes en torchis. Il tira son épée du fourreau, et
l'enfonçant jusqu'à la garde dans ces murs de terre, il
invectiva l'ingénieur Cormier, qui s'attendait peut-être
à des compliments.

« J'ai répandu l'or à pleines mains, pour édifier des palais, criait l'Empereur hors de lui; vous avez construit une ville de boue! Où sont les fonds que vous avez reçus? Vous êtes indigne de conserver votre poste! »

Le malheureux ingénieur balbutiait quelques explications. Napoléon le destitua sur-le-champ comme prévaricateur; la tradition locale veut même qu'il le souffleta. Puis il rentra à son auberge et décida de s'en aller au plus tôt. La municipalité avait fait des frais afin de le bien recevoir et dépensé vingt mille francs pour garnir la chambre impériale. On essaya de le retenir, mais il ne voulut rien entendre et partit à cinq heures du soir. Il ne revint jamais au chef-lieu de son rêve et sans doute comprit-il, ce jour-là, qu'on ne crée pas une ville aussi facilement qu'on élève un empire, surtout quand on se refuse à y mettre le prix.

Napoléon-Vendée, redevenue la Roche-sur-Yon, est aujourd'hui, après cent ans, terminée ou presque. On y retrouve toutes les dispositions grandioses ordonnées par le grand empereur : la ville s'y est ajustée à peu près comme un nain qui s'accoutrerait des habits d'un géant; mais l'aspect général est agréable et l'espace ne manque pas, oh! non. Ce qui confond, c'est la grande place, faite pour servir de terrain de manœuvre à vingt mille hommes et que traversent, de temps à autre, quelques rares passants. Au milieu se dresse, minuscule bibelot dans ce désert silencieux, la statue équestre du fondateur de ce fantôme de capitale, contemplant, de ses yeux de bronze, les vastes espaces qu'il n'a pu peupler.

NAPOLÉON ET LA MUSIQUE

A la vérité, celle que, à toutes, il préférait, c'était la musique militaire, les fanfares, rythmées du *ran-planplan* des tambours, qui étaient le *leitmotiv* des plus beaux jours de sa vie. Le matin d'Austerlitz, il avait ordonné, contrairement à l'habitude, que les musiciens resteraient à leur poste au centre de chaque bataillon. « Les nôtres, a raconté le capitaine Coignet, les nôtres étaient au grand complet, avec leur chef en tête, un vieux troupier d'au moins soixante ans; ils jouaient une chanson bien connue de nous :

> On va leur percer le flanc,
> Ran, ran, ran, tan plan, tire lire.
> On va leur percer le flanc,
> Que nous allons rire!

« Pendant cet air, en guise d'accompagnement, les tambours, dirigés par M. Sénot, leur major, un homme accompli, battaient la charge à rompre les caisses... C'était à entraîner un paralytique. »

Il est certain que le soir de ce jour-là, quand au sommet du plateau de Pratzen, tandis que s'entassaient aux pieds de son cheval les étendards des enne-

mis vaincus, et qu'il put se croire à jamais le maître
du monde, le refrain guerrier qui avait été la symphonie de la victoire et dont le rythme populaire battait encore aux oreilles de Napoléon devait lui paraître
autrement beau et émouvant que les plus savants oratorios de Lesueur ou de Della Maria.

Aux Tuileries pourtant, il se complaît à la musique
sévère. Les concerts dépassent, comme attrait artistique,
tout ce qu'en n'importe quelle Cour on a pu imaginer
jusque-là. Le personnel de la « chapelle » comprend,
en 1805, dix chanteurs et vingt instrumentistes; leur
budget est de quatre-vingt-dix mille francs. Cinq ans
plus tard le nombre des exécutants arrive à la centaine
et la dépense est presque doublée. M. de Rémusat, préfet
du palais impérial, a imaginé d'animer les concerts
par une sorte de représentation; les divers numéros du
programme sont exécutés par des chanteurs en costume, et devant un décor approprié aux paroles du
morceau. Qu'entend-on là? Les plus célèbres scènes du
répertoire italien : des oratorios, des motets, des concer-
tos de Lesueur ou de Paisiello : quelquefois une symphonie d'Haydn, rarement, je pense, du Gluck ou du
Mozart.

L'Empereur paraît aimer beaucoup cette musique
pompeuse, dont les rares spécimens qu'on a aujour-
d'hui l'occasion d'entendre nous semblent singulièrement fastidieux. Napoléon est parfois « dans une telle
passion de musique » que souvent, dit M. Frédéric
Masson, « après le spectacle, il fait revenir ses chanteurs dans le salon de l'impératrice et les écoute jusqu'à une heure du matin ». Il lui arriva même, un
jour, de vouloir faire, en personne, sa partie dans un
concert. C'était au cours d'une soirée intime, et Duport,

l'illustre violoncelliste, jouait un solo. L'Empereur parut
tout à coup dans le salon, botté et éperonné; il écouta
avec plaisir, et dès que le morceau fut terminé, il
s'approcha de l'artiste, le complimenta, et lui prenant la
basse des mains avec sa vivacité habituelle, il lui demanda : « Comment, diable, tenez-vous cet instrument? » Et s'asseyant, il serra le malheureux violoncelle entre ses bottes éperonnées. L'infortuné musicien,
que la surprise et le respect avaient rendu muet pendant un instant, ne put cependant maîtriser sa terreur
lorsqu'il vit sa précieuse basse traitée comme un cheval
de bataille. Il s'élança en avant, en proférant d'un
accent si pathétique le mot « Sire! » que l'instrument
lui fut immédiatement rendu. Duport put alors, sans
le laisser sortir de ses mains, montrer à l'Empereur
comment il fallait s'y prendre.

Il faut croire que quel que soit le génie de l'élève,
le violoncelle ne s'apprend pas en une seule leçon, car
Napoléon ne devint pas exécutant. Il se contentait de
chanter, quand la fantaisie l'en prenait, et son répertoire était assez restreint. Ce qu'il fredonnait le plus
volontiers, c'était un vieil air du *Devin de village*, le
même, sans doute, que chantonnait déjà Louis XV :
« J'ai perdu mon serviteur. » Une des chansons de
prédilection de l'Empereur était encore un unique
couplet ayant pour sujet l'aventure d'une jeune fille
guérie par son amoureux de la piqûre d'un insecte
ailé :

Un baiser de sa bouche en fut le médecin.

Napoléon chantait outrageusement faux; en revanche,
il chantait à plein gosier. Le plus souvent, il enton-
nait *La Marseillaise*, *Le Chant du Départ* ou *Veillons*

au salut de l'Empire. Quand il se trouvait de bonne
humeur et qu'il avait fini de travailler, son refrain fa-
vori était :

> Non, non, z'il est impossible
> D'avoir un plus aimable enfant.

S'il passait chez l'Impératrice, il modulait :

> Ah! c'en est fait, je me marie!

C'était du reste l'air qu'il chantait, en se promenant
les deux mains derrière le dos, dans ses heures de
contrariété. Il avait une autre chanson, venue je ne
sais d'où, qui peut-être avait été faite contre lui, mais
qu'il avait adoptée :

> Qui veut asservir l'univers
> Doit commencer par sa patrie!

A en croire le valet de chambre Constant, l'air de
Marlborough, sifflé par Sa Majesté, était l'annonce certaine d'un prochain départ pour l'armée. M. Albert
Vandal, en décrivant le passage du Niémen, raconte
que lorsque le 9ᵉ lanciers et le 7ᵉ hussards eurent traversé le fleuve, ils reconnurent l'Empereur, à l'extrémité du pont, debout sur le terre-plein. « Enivré par
l'appareil qui se déployait sous ses yeux, ressaisi par le
sentiment de sa toute-puissance, certain de son bonheur,
il avait retrouvé son assurance, sa belle humeur, une
jovialité expansive. Il jouait avec sa cravache et fredonnait : « Marlborough s'en va-t-en guerre... » Peut-
être sa mémoire se refusa-t-elle à lui fournir la suite :
« Ne sait quand reviendra », qui eût ressemblé à une
sinistre prophétie.

En 1814, à Fontainebleau, quand approchaient les

derniers jours, des lambeaux de chansons revenaient
encore à la pensée distraite du conquérant vaincu. Ses
serviteurs l'ont vu, dans la même journée, « plongé
pendant plusieurs heures dans la plus affreuse tristesse, puis un instant après marcher à grands pas dans
sa chambre en sifflant ou en chantonnant la *Monaco*. »
Et c'est à remarquer que tous ces airs qui passaient
ainsi dans sa mémoire étaient de vieux refrains, rete-
nus depuis l'enfance ou la jeunesse; pas un de ceux
qu'on cite n'est, je crois, postérieur à 1794. Est-ce que
du jour où il entra en scène, il refusa à son esprit la
permission d'emmagasiner des inutilités, et n'est-ce
point pour cette raison que l'Empereur, en dépit des
nombreux concerts auxquels il assistait, vécut, musica-
lement, sur le fonds, très pauvre, des airs anciens appris
à Brienne ou à l'Ecole militaire?

M. Camille Bellaigue a recueilli une anecdote émouvante. C'était à l'une des premières exécutions, au
Conservatoire, de la symphonie en *ut* mineur, de Beethoven. Lorsque vint le fameux et vraiment héroïque
passage du *scherzo* au *finale,* un ancien soldat de la
Grande Armée, qui se trouvait dans la salle, enthou-
siasmé, ravi, au paroxysme de l'émotion, se leva brusquement et cria : « L'Empereur! »

Ce qu'il entendait était si beau, qu'une corrélation
subite s'était établie, dans l'esprit du vieux grognard,
entre son impression présente et celle qu'il ressentait
jadis quand il voyait *l'Autre*. Et M. Bellaigue remarque
que pour Napoléon et pour l'art, c'est un honneur partagé, qu'un des plus magnifiques mouvements de la musique entière ait arraché d'une bouche et d'une âme
humaines, pour en définir et pour en personnifier la
magnificence, ce seul mot : *l'Empereur*.

UN MÉMORIALISTE

JE m'étais souvent demandé quelles pouvaient être les impressions d'un domestique que les hasards de sa carrière introduisent dans l'intimité des grands de ce monde et de quels yeux il contemple l'envers du théâtre où ces hauts personnages jouent leur rôle. Nous avions déjà les *Mémoires* de Constant, le valet de chambre de Napoléon; mais ils ont perdu toute saveur en passant par les mains d'un arrangeur; on a publié également ceux de Roustam, le mameluck de l'Empereur, soucieux surtout de bombances et de profits et resté un demi-sauvage. On rencontre mieux dans les *Souvenirs* d'un sommelier de l'impératrice Joséphine; ils ne bouleversent pas la grande Histoire et, sans doute, les curieux de sensations fortes les jugeront-ils fort insignifiants; ils sont précieux cependant parce qu'ils nous font comprendre pourquoi les serviteurs des grands sont si sobres d'indiscrétions : de l'office on ne voit rien, et peut-être s'y désintéresse-t-on de ce qui concerne les maîtres. Piout — tel était le nom de ce sommelier — possédait évidemment une âme d'historien; la preuve en est qu'il s'astreignait à tenir un journal. Il entra

au service de Joséphine à la période la plus tragique
de la vie de la pauvre impératrice, car ce journal
commence à la date du 16 décembre 1809, le lendemain du jour où l'infortunée a été forcée de lire, en
présence de toute la famille impériale et des grands di-
gnitaires de l'Empire, sa déclaration de renonciation au
trône et à la main de l'époux qui l'y avait assise;
scène navrante que Napoléon lui-même jugea si « grandiose », qu'il commanda, pour en perpétuer le souvenir, un tableau qui ne fut jamais fait. Le jour suivant,
l'acte de divorce signé, Joséphine, chassée des Tuileries, s'évanouit au moment de quitter ces appartements
où elle avait été si prodigieusement heureuse; on la
porta dans sa voiture qui attendait sous le péristyle,
et qui l'emmena à la Malmaison. Eh bien, Piout ne
sait rien de tout cela; il note simplement : « Départ
de S. M. l'Impératrice des Tuileries, à cinq heures et
demie du soir. Il faisait un temps affreux. » Cet effort
accompli, il restera trois mois sans rien écrire; ses goûts
et sa compétence le portaient manifestement de pré-
férence vers le genre descriptif; aussi reprend-il seulement la plume lorsque la souveraine répudiée vient
habiter son domaine de Navarre.

Navarre était un château situé aux environs
d'Evreux; Napoléon, qui attendait sa nouvelle épouse,
jugea convenable d'éloigner de Paris sa première femme
et détacha des biens de la couronne cette propriété
pour la lui donner, afin qu'elle s'y retirât durant les
fêtes du mariage. Imaginez une bâtisse carrée, surmontée d'un dôme inachevé que les gens du pays sur-
nomment *la Marmite;* le premier aspect est désastreux :
point de meubles, des murs délabrés, des boiseries
pourries par l'humidité, un froid glacial et pas une

fenêtre qui ferme; quant au parc, un fond entouré de
bois, tout en parterres d'eaux, en canaux et en cas-
cades... Joséphine en pleure et tout son entourage intime est révolté. Piout, lui, moins blasé, « n'a jamais
rien vu de si beau »; il s'applique à décrire cet admirable lieu : « Une grande avenue d'ormes, de 2 760
pieds de longueur sur 76 de largeur; à l'extrémité, on
voit deux pièces d'eau... La longueur de l'une est de
180 pieds sur 198 de large; ces pièces d'eau aboutissent à des gazons qui ont chacun 286 pieds sur 228
d'étendue; ces gazons sont entourés d'un parapet de
bois de six pouces carrés d'épaisseur; la hauteur de ce
parapet est de 3 pieds, et en continuant on arrive à un
pont dont la largeur est de 60... Tout l'ensemble est
grand, magnifique et majestueux. » Il poursuit longuement sur ce ton et on se demande comment cet homme
amoureux des précisions a pu, dès le jour de son arrivée, mesurer tant d'avenues, de bassins et de pelouses;
il se promenait, bien certainement, avec une toise en
guise de canne. Il aborde maintenant le château, précédé, écrit-il, « d'une terrasse à laquelle on arrive par
13 marches, et, cette terrasse traversée, cinq autres
marches aboutissent à l'édifice... dont chaque côté a
111 pieds et qui est entouré d'un balcon de fer... ce qui
ajoute à l'enchantement de ceux qui savent apprécier
ce qui est véritablement beau ». Il monte au sommet
du dôme, sa toise à la main sans nul doute, car il
consigne que *la Marmite* « a de circuit 280 pieds; ce
dôme est situé dans le centre du château dont les
appartements sont autour; il est bâti sur pilotis et
l'eau passe dessous... » Voilà déjà expliqués les parquets déjetés et les lambris verts de moisissure. Le
château mesuré, Piout va voir, dans le parc, le temple

de l'Amour « figurant une ruine qui croule dans un bosquet de 7 pieds de large sur 494 pieds de long », et cela lui inspire une réflexion philosophique : « Ce temple et cette ruine représentent les douceurs et les dangers de l'amour... » Est-ce une allusion à la situation de « la patronne »? Reprenant son exploration, le sommelier découvre une œuvre d'art qui le jette dans l'extase : « C'est une fontaine surmontée de la figure en pied d'un petit garçon, très bien exécutée; ce polisson fixe les dames surtout avec un œil malin et semble les inviter à venir se désaltérer de son eau que l'on voit sortir avec précipitation de dessous sa chemise qu'il tient levée à deux mains... sa hauteur est de dix pieds. » Et Piout résume ainsi ses impressions : « On cite les beautés de Navarre; mais la citation n'est rien en comparaison de la réalité. »

Sans doute, toute l'histoire de France écrite sur ce ton-là réjouirait certainement les arpenteurs mais paraîtrait un peu monotone aux autres mortels; pourtant, je ne ris pas du tout de ce trop méticuleux narrateur; celui qui peut dire « J'étais là, telle chose m'advint » éclipse par cela même les plus savants historiens, et c'est à juste titre que la *Revue Napoléon* a publié ce naïf journal abondant en anecdotes amusantes. Piout, il est vrai, n'a pas l'air de se douter un seul instant de la tragédie qu'il côtoie; mais, sans le savoir, il nous renseigne néanmoins sur ses péripéties, et toutes ses observations ne sont pas à dédaigner; ainsi quand, en avril, arrive à Navarre le prince Eugène de Beauharnais, venu pour une demi-journée, afin que sa mère n'apprenne point par un autre que lui le détail des fêtes du mariage de l'Empereur, l'intronisation de la remplaçante et la ruée des courtisans ingrats vers la nouvelle venue, notre mémoraliste ne voit de cette entrevue que ce qu'on en montre; non point les larmes ni les déchirements, mais le défilé des jeunes filles du village voisin, curé en tête, apportant au prince souriant un bouquet de fleurs des champs, et aussi la partie de pêche que l'ex-impératrice, affectant l'air joyeux, offre à son fils. « Cette pêche a été très heureuse, et parmi les beaux poissons qui en ont été la récolte, on a remarqué un superbe brochet que Sa Majesté a donné au vice-roi », ce qui a empêché Piout de mesurer la bête; mais il se rattrape une autre fois à l'occasion d'un autre brochet, « pris dans la pièce d'eau des Lunettes; il a deux pieds onze pouces de long et pèse seize livres », détail moins appétissant : « On lui trouve dans le corps un rat d'eau tout entier. »

Presque chaque jour, Joséphine, dissimulant ses peines et son humiliation, reçoit des délégations de paysans qui lui offrent des fleurs et lui débitent des compliments. Car, de Paris, l'Empereur, qui veille à tout, prend soin de lui créer des distractions, crainte qu'elle ne s'ennuie dans sa retraite et ne s'en échappe; il a un peu peur de sa nouvelle femme manifestement mal disposée pour celle à qui elle succède. La répudiée remplit son rôle en conscience; elle accueille gracieusement, sait prendre l'air heureux et joue encore à l'impératrice. Piout note toutes les visites : la princesse d'Arenberg, l'évêque et le clergé d'Evreux, la jolie princesse Stéphanie de Bade, la reine Hortense; aux nomenclatures de ces noms imposants, il mêle des appréciations sur le plus ou moins de beauté de ces augustes personnes et des mentions telles que celle-ci, où se révèle sa singulière obsession de la longimétrie : « On a pris un blaireau dans une boîte; il avait trois pieds de long sur un de large... » Et puis il y a des événements : le 11 mai, Joséphine se fait servir son déjeuner sous un berceau de charmille, entre le canal et la rivière; il ne fait pas chaud dans cet humide décor et l'ex-impératrice, prise de frissons, réclame une écharpe; c'est Piout avec « M. d'Orgente, l'un des valets de chambre, qui ont l'honneur d'arranger le châle sur les épaules de Sa Majesté. » Une autre fois, Mme de Vieil-Castel et Mlle de Mackau s'étant embarquées sur le petit canal de l'île d'Amour — 925 pieds de long sur 27 de large, une bordure de gazon de 18 pouces — chavirent et tombent toutes les deux à l'eau, ce qui permet à l'heureux Piout d'évaluer la profondeur de l'étang qui, par bonheur, n'était que d'un pied ou deux, de sorte que « ces dames en furent quittes pour la peur mais sortirent de là couvertes de vase, ce qui les rendit fort honteuses ». L'eau joue un grand rôle à Navarre; il y en a tant! — Piout, se promenant un jour dans le parc, entend chanter; il court « pour voir », et aperçoit un jeune homme portant, au bout d'une grande fourche de bois, une blouse qui faisait bannière; une quarantaine de faneuses le suivaient, en psalmodiant « comme s'il eût été mort ». « Je me suis approché, écrit le sommelier, et c'était un garçon de seize à dix-sept ans que ces femmes avaient trouvé endormi; elles le conduisaient sur le petit pont pour le jeter à l'eau, ce qu'elles ont fait de suite. J'ai demandé ce que ce jeune homme avait fait; elles m'ont dit qu'il dormait. C'est la mode du pays. » Singulier usage local qui valait d'être consigné : le trait confirme ce que l'on savait déjà, c'est que, malgré son désir de tenir sa maison de façon « impériale », la bonne Joséphine n'était pas très sévère sur la discipline ni sur l'étiquette et laissait ses gens — ils étaient au nombre de près de 150 —

s'amuser librement et même bruyamment. Quand on apprend qu'on va retourner à Malmaison, la joie du personnel se manifeste par des cris de joie et des danses; M. Thomas, valet de pied, joue du violon; les pelles et les pincettes, en guise de tambourins, l'accompagnent; « ce charivari était enchanteur et la fête dura jusqu'à minuit... »

Suivront bientôt, dans le journal de Piout, des descriptions de la Malmaison; la serre du château, surtout, l'enthousiasme. Jugez donc! Cent cinquante pieds de long, treize croisées de six carreaux chacune et douze grands poêles chauffés au charbon de terre. « Cela est magnifique, on ne peut rien voir de plus beau! » Et cette merveille le frappe plus peut-être que le grand fait dont il fut témoin le 13 juin de cette année 1810. L'ex-impératrice était rentrée à la Malmaison depuis dix jours; l'Empereur se trouvait au château de Saint-Cloud avec sa femme. Il s'en échappe subrepticement, et, « à dix heures et quart du matin, il arrive à la Malmaison. Il entre, et demande : « Où est Joséphine? Est-ce qu'elle n'est pas levée? » Le valet de pied lui dit : « Sire, la voilà qui se promène dans le jardin. » Aussitôt Napoléon l'aperçoit; il court à sa rencontre; elle en fait autant, et ils s'embrassent. On voit des larmes de joie qui coulent d'un côté comme de l'autre. L'honnête sommelier ajoute : « Cela nous a fait plaisir. » Et comme, outre sa toise à mesurer les distances, il a toujours en main sa montre pour contrôler l'heure, il note : « L'entrevue a duré depuis dix heures un quart jusqu'à midi moins un quart, où Napoléon est parti. Il était en calèche et sans suite. »

Rien que pour ces dix lignes, le journal de Piout

méritait les honneurs de la publication. Le tableau est parfait de cet empereur revenant, au crépuscule de son règne, dans ce cher château où naquit sa gloire, afin d'embrasser, en cachette de sa femme, la compagne de ses débuts et pleurer avec elle au souvenir commun de leur éblouissante épopée.

UN BEAU MARIAGE

Est-ce encore une légende qui s'écroule?

La tradition nous a toujours montré Napoléon guettant, au grand mépris de l'étiquette, sous le porche de l'église de Courcelles, non loin de Soissons, l'arrivée de sa future épouse, l'archiduchesse Marie-Louise. Dès que la berline portant la princesse fut en vue, l'Empereur fit signe aux postillons, qui arrêtèrent les chevaux; il ouvrit la portière, prit place dans la voiture auprès de sa fiancée effarouchée, et donna l'ordre de brûler le pavé jusqu'à Compiègne, distançant tout cortège et bouleversant tout cérémonial. Même on était persuadé, sur la foi des mémorialistes, que le soir de ce jour-là, dans son impatience d'être le gendre d'un empereur authentique, Napoléon avait su convaincre l'archiduchesse de la vanité des formalités civiles et religieuses, de sorte que Marie-Louise s'était réveillée, le lendemain, aussi épouse qu'on peut l'être tant que le maire et le curé n'ont pas été convoqués.

L'anecdote plaisait par sa gaillardise, et l'on ne s'étonnait pas trop de l'impétuosité galante d'un conquérant accoutumé à voir tomber, sur un geste de lui, les portes des forteresses les plus imprenables. Il

paraît maintenant que les choses ne se sont pas du tout
passées de la sorte et que l'Empereur fut le plus patient
et le moins exigeant des fiancés. De cette constatation,
bien certainement, l'histoire du monde ne sera pas
modifiée; pourtant il n'est pas indifférent de connaître
— autant que peuvent être pénétrés ces petits mystères
de l'intimité — comment se comportèrent, lors de leurs
premières rencontres, ce glorieux parvenu et cette hautaine princesse qui ne s'étaient jamais vus et que brutalement la politique jetait aux bras l'un de l'autre.

La situation, pour tous les deux, était délicate; malgré
la conscience qu'il avait de son génie, de sa puissance
et de sa gloire, le « futur époux » ne peut pas oublier
que quinze ans à peine auparavant il courait Paris en
quête d'un emploi et vivait dans une mansarde, n'osant
même rêver, tant sa pénurie se trouvait grande et tant
sa famille était misérable, quelque mariage avec une
bourgeoise dont la petite dot assurerait son incertain
avenir. Et voilà qu'on lui amène aujourd'hui de Vienne
la fille des empereurs, le plus beau « parti » du monde.
Elle vient, comme les princesses des contes arabes, parmi les acclamations et les fanfares, suivie d'un train de
quatre-vingt-trois voitures, escortée d'altesses, de major-
domes, de diplomates, de généraux, d'une foule de
dames d'honneur, de servantes, de valets, de cavaliers
et de piqueurs.

Elle doit aussi se rappeler... Elle est née dans le vieux
palais des Habsbourg, à l'époque où les Parisiens tor-
turaient sa tante Marie-Antoinette; elle a été élevée
dans le culte de la pauvre reine; tout enfant elle a eu
le cauchemar de l'échafaud; elle a vu arriver, dolente
et obsédée, à la cour de son père, la seule survivante des
tragédies du Temple; tous les Français, on le lui a

enseigné, sont des révolutionnaires, d'horribles sans-
culottes, des monstres qui se promènent le bonnet phry-
gien en tête et le couteau aux dents. Bonaparte, leur
chef, est l'Antéchrist — le *Corsicain;* jamais, chez elle,
on ne le désigne autrement. Pendant bien des années
elle n'a vu de lui d'autres images que les caricatures
anglaises où il est représenté petit, galeux, ventru, sor-
dide, assistant le bourreau sur le plancher rouge de la
guillotine. Et c'est à cet homme-là qu'on la marie!

Il faut dire que dès l'union décidée on s'est appliqué
à la rassurer un peu, et à mesure qu'elle avance vers la
France, sa terreur première fait place à une certaine
curiosité. Docile et résignée, se comparant à Iphigénie
sacrifiée, elle répète les leçons apprises, affectant l'air
satisfait, saluant gracieusement, s'informant à chaque
relais, avec un intérêt protocolaire, de la santé et des
sentiments de l'ogre vers lequel on la conduit, grisée
cependant peu à peu par l'énormité de l'événement,
par l'invraisemblance et l'inattendu de la situation, par
les toilettes aussi, les bijoux, les parures, les compliments, les bouquets, les hommages. N'importe, elle
pense, plus que ne l'y autorise son nouveau rôle, à
cette autre archiduchesse qui, il y a quarante ans, est
aussi entrée en France, adulée et triomphante... La
jeune Marie-Louise ne peut de cette hantise libérer
son esprit, et à peine arrivée à Strasbourg, elle s'informe de l'endroit où descendit, lors de son passage,
Marie-Antoinette. Ce souci du passé la suivra tout le
long du chemin.

On peut assurer que jamais deux fiancés ne furent
plus distants par l'éducation, la façon de penser, les
habitudes, les goûts et la tournure d'esprit. D'amour on
n'en pouvait espérer, et c'est sans doute pour couper

court aux « bavarderies » de son entourage que Napoléon résolut de brusquer le premier abord. C'est ainsi
qu'il alla sur la route attendre sa « promise » et se présenter lui-même à l'improviste. Il ne la surprit pas,
comme on l'a dit, en se jetant dans son carrosse : un
chambellan ouvrit la portière et l'annonça. L'archiduchesse, qu'accompagnait Caroline Murat, la sœur de
l'Empereur, devint très pâle. Napoléon lui prit la main,
y posa ses lèvres et dit : « Madame, j'éprouve à vous
voir un grand plaisir. » Puis il embrassa Caroline, qui
descendit de la voiture un peu plus loin, laissant « les
amoureux » en tête-à-tête.

Marie-Louise n'était point laide; c'était une forte
fille assez fraîche, un peu lourdaude; elle portait ce
jour-là une toilette blanche que recouvrait un long
manteau de velours, et elle avait sur la tête une vilaine
toque ornée de plumes d'ara. Que dut-elle éprouver
quand elle se vit seule dans la berline, roulant par la
nuit pluvieuse, avec cet homme tant redouté? Que se
dirent-ils? Causer politique eût été ridicule; des propos
subitement passionnés auraient épouvanté l'archiduchesse. Quelles confidences, quels projets grandioses ou
quelles banalités échangèrent-ils? Sans doute Napoléon
se mit en frais, car il voulait plaire; on avait remarqué
que depuis quelques jours *il se pomponnait;* il s'arro-
sait d'eau de Cologne; des pommades fixaient sur son
front sa mèche légendaire, et il avait renoncé au tabac
qui lui noircissait les narines... En somme, de part et
d'autre, la première impression fut assez favorable.
Eût-elle été désastreuse qu'il n'y avait plus à y revenir.
Et quand, au perron de Compiègne, les deux fiancés
descendirent, accueillis par une cohue empressée de
chambellans et d'écuyers, ils avaient déjà un air d'an-

cienne connaissance. Dans le premier salon, deux fillettes présentèrent des fleurs à la princesse, qui dut
écouter un compliment gauchement débité par l'une
d'elles. La pauvre archiduchesse, en route depuis le
matin, n'aspirait qu'à quelques instants de solitude et
de repos; on sait même qu'à ce moment « un besoin de
se mettre à l'aise la commandait ». Vite, précédée d'un
huissier portant deux flambeaux et accompagnée de
deux dames, elle se réfugia dans son appartement.

« Ah! dit-elle, dès qu'elle eut repris haleine, l'Empereur est bien charmant et bien doux pour un homme
de guerre si redoutable. Il me semble maintenant que
je l'aimerai bien! »

Phrase préparée et apprise ou cri du cœur? On ne
sait pas.

A dix heures et demie, elle reparut pour le souper.
Comme elle devait se trouver isolée, cette fille de dix-
neuf ans, à cette table dont tous les convives lui étaient
inconnus! Elle savait leurs noms, il est vrai, pour les
avoir entendu maudire ou bafouer par tous ses proches.
On l'excuserait de s'être tenue prudemment silencieuse,
d'avoir éclaté en sanglots, de s'être évanouie d'émotion;
non, elle fut héroïque, mais baloude — nous dirions
aujourd'hui « gaffeuse ». Peut-être bien montra-t-elle
mal à propos le dédaigneux laisser-aller d'une aristo-
crate imbue de sa naissance, fourvoyée parmi de petites
gens. Toujours est-il qu'elle dit « des choses fort
communes »; elle interrogeait très librement les
convives, approuvait les réponses d'un signe de tête ou
d'un gros rire qui ne lui desserrait pas les dents. Elle
questionnait, avec une obstination gênante, sur l'état
de Compiègne au temps des rois, sur les fêtes et les
chasses de Marie-Antoinette. Heureusement le repas

fut court. L'archiduchesse regagna sa chambre; l'Empereur la conduisit jusqu'au seuil, fit un profond salut en réponse à une révérence et revint au salon. Et cette tenue pleine de discrétion est en contradiction avec la légende à laquelle il est fait plus haut allusion; c'est du moins ce à quoi conclut M. Gachot dans son volume sur Marie-Louise, qui satisfera grandement les lecteurs curieux des petits côtés de la grande Histoire.

L'archiduchesse était arrivée à Compiègne le 27 mars au soir; le mariage civil eut lieu le 1er avril, à Saint-Cloud, et la cérémonie religieuse fut célébrée le lendemain dans une chapelle improvisée au Louvre pour la circonstance. On comprend que cette semaine fut pour la jeune Autrichienne un temps d'épreuves qu'elle supporta d'ailleurs allégrement. Elle ne succomba point à cette succession d'émotions fortes; elle dissimula même si bien ses impressions qu'elle semblait remplir de simples et banales formalités. Très à l'aise parmi ce monde nouveau pour elle, elle questionnait avec sans-gêne et parlait sans timidité. « Seigneur, qu'il y a loin de Vienne jusqu'ici! » dit-elle un matin naïvement en abordant l'Empereur. Ce qui importune, c'est sa curiosité des souvenirs de la Terreur. De tous ceux qui la saluent, elle cherche à se renseigner. « N'avez-vous pas eu d'histoires pendant cette terrible chose de la Révolution? » Eh! si, ils en ont eu tous « des histoires », et même de celles qu'on n'aime pas à rappeler. Aussi déclare-t-on que la nouvelle impératrice manque de tact. N'a-t-elle point dit du maréchal Duroc : « C'est un drôle de pistolet »? Mme Mère l'effraie un peu. Cette vieille femme hautaine et sévère regrette Joséphine et considère avec inquiétude cette bru issue de tant d'empereurs; mais avec les autres, Marie-Louise

bavarde à tort et à travers. Et que de toilettes, que de
changements de robes, que d'heures passées, durant ces
huit jours, avec les coiffeurs et les habilleuses! Que de
compliments, de révérences, de harangues! Napoléon, le
matin, se fait annoncer chez sa fiancée et assiste à la
coiffure; il dirige tout, recherche dans les anciens codes
du cérémonial *comment c'était* au temps des rois; il
règle le moindre détail d'étiquette. Enfin le grand jour
est arrivé : avec une pompe sans précédent le mariage
est célébré et la nouvelle impératrice, en sortant de là,
écrit ses impressions. Elle n'a rien vu que l'autel en
argent massif; mais elle n'oubliera de longtemps son
corsage dont le col trop haut l'étranglait et ses maudits
souliers de satin qui lui serraient atrocement les pieds.
L'Empereur apprit d'ailleurs le jour même que la
cérémonie avait donné lieu à « une foule de bons mots
et de calembours », ce dont le gouvernement devait se
montrer très rassuré.

Enfin, à minuit, revue générale des services d'honneur échelonnés dans les galeries des Tuileries. Napoléon guide sa femme vers la chambre nuptiale, dont le
lit a été béni. On remarque que l'Empereur est très
rouge. Encore quelques révérences, puis la porte se
referme sur les deux époux. Voilà en quoi consiste « le
plus beau jour de la vie », quand on est le maître du
monde et qu'on épouse la fille des Césars.

Pauvres gens!

L'ACCOUCHEUR DE MARIE-LOUISE

C'EST le surnom qu'on donna, dans les prisons, à un jeune blondin allemand, rêveur, naïf, poltron, nerveux, un peu détraqué, qui avait résolu d'assassiner Napoléon Ier.

Il se nommait Ernest-Christophe-Auguste von der Sahla, et était né à Sohland, en Saxe, le 10 décembre 1791. Sa famille était noble et l'avait de bonne heure envoyé dans une de ces universités allemandes où l'on apprend des choses indigestes, inutiles et surannées. Le jeune la Sahla s'était appliqué à l'étude de l'hébreu et de la philosophie; son jeune cerveau n'y résista pas. On était après Iéna, et dans toute l'Allemagne se formaient ces associations patriotiques d'étudiants décidés à lutter, au moins par la parole, contre l'envahisseur de leur patrie; on jouait aux conspirateurs, on avait des mots de passe, on buvait force bière en maudissant l'ennemi héréditaire, et on se dépensait, dans le sous-sol ténébreux des brasseries, en harangues enflammées et vengeresses.

La Sahla prit la chose au sérieux; il se crut marqué par la Providence pour délivrer l'Europe asservie. Il avait vingt ans, l'âge des grands projets et des nobles

abnégations; et un beau jour, il apprit à sa maman et
à sa grande sœur qu'il allait partir pour Paris, afin d'y
tuer l'Empereur des Français. Les deux femmes, terri-
fiées, se jetèrent à ses pieds, le conjurant de renoncer
à son projet; il s'attendait à de l'enthousiasme et fut
un peu déçu. Pourtant, il n'en laissa rien paraître,
sembla céder aux instances de sa famille, et n'en continua pas moins à se préparer, sans plus en dire mot, à
son rôle de héros.

Il lui fallait une arme : le couteau s'indiquait; mais
comme il prenait ses renseignements, il apprit que le
port du poignard était interdit en France. N'osant pas
risquer l'amende à laquelle une contravention l'expo-
sait, il se décida pour le pistolet; non sans peine, car
la vue seule d'une arme à feu lui inspirait « une
frayeur atroce ». Pourtant, comme il fit rencontre d'un
voyageur qui consentit à lui vendre ses pistolets en lui
jurant que ces armes provenaient du duc de Brunswick, tué à Iéna en combattant les Français, la Sahla
vit dans ce hasard une manifestation d'en haut, et se
disposa à l'action.

Tout d'abord, il abjura le protestantisme et se fit
catholique, séduit par la nouvelle que le pape venait
d'excommunier Napoléon et persuadé que par ce
moyen, il se ménageait en France de puissantes relations; puis il tâcha de s'habituer à la détonation de ses
pistolets et passa ses journées au tir. Il fallait un prétexte à son départ, et il imagina celui d'aller s'amuser
à Paris; il savait, pour l'avoir entendu répéter souvent
à la brasserie, que la « Babylone moderne » est le ré-
ceptacle de tous les débauchés, et pour s'entraîner à la
vie qu'il y devait mener, il fit violence à ses goûts de
sobriété et de continence, et mena pendant un mois,

dans sa petite ville, une existence qu'il jugeait déver-
gondée. Ainsi préparé, il se mit en route, emmenant
un compagnon de son âge, qui dès les premières étapes,
plein d'effroi, rebroussa chemin et s'en vint conter à
l'un de ses professeurs le projet de la Sahla; le professeur prévint les autorités locales, lesquelles, par un courrier, avisèrent la police de Paris. De sorte que les meilleurs agents du duc de Rovigo fouillaient déjà tous les
hôtels garnis de la capitale, tandis que le doux assassin
n'était encore qu'à moitié chemin, s'arrêtant aux bonnes
auberges, où, pour ne pas perdre son entraînement, il
affectait des allures de don Juan et se faisait servir à
profusion des bouteilles de vieux vin, dont, malgré son
désir de passer pour un viveur, il n'arrivait à boire
qu'un verre ou deux.

M. Ernest d'Hauterive a étudié, d'après les documents conservés aux archives nationales et aux archives
royales de Saxe, l'étrange physionomie de ce pauvre
garçon. Il nous dit comment, parvenu enfin à Paris, la
Sahla, par l'absence même de toute précaution, parvint à dépister durant quelques jours la police. Le
4 février 1811, elle fut cependant informée que le jeune
Saxon était logé à l'hôtel de Francfort, rue des Vieux-
Augustins; les agents s'y présentèrent; apprenant que le
voyageur était allé rôder par la ville, ils se cachèrent
dans le fond de la loge du concierge et attendirent.

Une demi-heure plus tard, l'Allemand rentre de sa
promenade; il demande au portier la clef de sa
chambre et s'engage dans l'escalier; les policiers le
suivent à pas de loup. Dans la demi-obscurité du jour
tombant, la Sahla les devine, hâte le pas, entre dans sa
chambre sans se retourner, prend brusquement un pistolet... Ah! qu'il devait avoir peur! Au même instant,

d'un bond, un inspecteur se jette sur lui, le saisit à
bras-le-corps, le terrasse et lui arrache son arme.

La chambre était un arsenal : sur la cheminée, sur la
table, sur le secrétaire, des pistolets; on en compta sept,
dont cinq étaient chargés et même armés. On fit un
ballot de cette artillerie; on y joignit tous les papiers
trouvés dans les tiroirs et dans le portemanteau, et l'on
conduisit la Sahla au ministère de la Police.

Aux interrogatoires qu'on lui fit subir, il répondit de
sa voix tendre, sans émoi, sans effronterie, très poliment,
qu'il était venu pour tuer l'Empereur. Sachant l'Impératrice sur le point d'être mère, il expliqua que dans
son idée, l'annonce de la mort de Napoléon devait pro-
voquer à l'épouse de celui-ci un tel saisissement que
bien certainement un accident s'ensuivrait, et que
seraient ainsi détruits, d'un seul coup, l'usurpateur et
son rejeton. C'est de cette combinaison que lui vint le
surnom d'*accoucheur de Marie-Louise*. Il détailla du
reste l'emploi des huit jours qu'il avait passés à Paris.
Comme, malgré tous ses efforts, il n'était point parvenu
à se familiariser avec ses terribles pistolets, et qu'il ne
les maniait qu'avec infiniment de respect, il les avait
fait charger par un armurier; puis il s'était mis à la
recherche de l'Empereur, qu'à son grand regret il
n'avait pu rencontrer. Cette confession faite, il s'informa
paisiblement de l'heure fixée pour son exécution : il
s'attendait à être fusillé et ne manifestait de ce dénouement aucune inquiétude.

Après quelques jours de détention, il apprit que le
tyran lui faisait grâce; on allait le renvoyer en Allemagne, sous la condition qu'il donnerait sa parole de
ne plus jamais attenter aux jours de Sa Majesté. La
Sahla demanda vingt-quatre heures de réflexion, après

lesquelles il déclara simplement que ses principes l'em-
pêchaient de prendre cet engagement : si on lui rendait
la liberté, il n'abandonnerait pas son projet, mais tâche-
rait seulement de le mener à bien plus adroitement.
Malgré cette obstination, l'Empereur ne permit point
que l'affaire fût ébruitée : le jeune Saxon fut écroué
à Vincennes, au secret absolu. Il ne semblait ni satisfait, ni mécontent, se montrait envers ses geôliers d'une
douceur angélique. ne réclamait rien; de temps à autre,
on lui permettait d'écrire à sa maman, qui lui envoyait
quelques florins.

Après trois ans de prison, l'effondrement de l'Empire
ouvrit les portes de son cachot; la Sahla reprit le chemin de Saxe et rentra chez lui. De là, il suivit les événements, apprit, un an plus tard, le retour triomphal
de l'Empereur, et aussitôt il boucla sa valise et prit la
diligence. Vers le milieu de mai 1815, il rentrait à
Paris et arrêtait un petit logement rue Michel-Lecomte.
Cette fois, ce n'est plus en régicide qu'il vient en
France; sa première visite est pour la police; il expose
que ses idées sont complètement changées, qu'il souhaite
aujourd'hui le triomphe de l'homme auquel il doit la
vie; qu'il apporte d'importants renseignements sur l'état
d'esprit de la Saxe et de la Pologne, et aussi le secret
d'une poudre de guerre dont il montre un échantillon. On le laisse aller. Le 7 juin, le jour où l'Empereur
préside la séance de la Chambre des députés, une
explosion retentit dans la foule qui entoure le Palais-
Bourbon. La Sahla, en descendant de voiture, est
tombé; l'échantillon de poudre qu'il porte sur lui s'est
enflammé au choc. L'Allemand est blessé, mourant; on
le conduit au poste, et de là, en prison. M. Ernest
d'Hauterive hésite à décider si, dans cette explosion, on

doit voir un attentat; il semble que la Sahla lui-même
n'ait pas été très fixé sur ce point. Il se défendit de
toute tentative criminelle, jusqu'au jour où Napoléon
fut définitivement vaincu. Après Waterloo, au contraire,
il cria bien haut qu'il avait voulu une seconde fois
assassiner le tyran de l'Europe.

L'attention publique, dans le grand désarroi de la
seconde Restauration, se détourna de lui. Désespéré, il
se jeta, du pont de la Concorde, dans la Seine; on le
repêcha; il fut porté à l'hôpital de la Charité, d'où
il sortit au bout de trois jours. Deux semaines plus
tard, le 28 août, dans son petit logement de la rue
Michel-Lecomte, il mourut; fou, peut-être; suicidé, on
ne sait.

En somme, un pauvre être, qui dans la grande tragédie de l'histoire, eut le tort d'assumer un rôle qui
n'était pas de son *emploi*. Un Werther qui crut pouvoir jouer les Brutus.

MÉCOMPTES D'UN PAYEUR
DE LA GRANDE ARMÉE

B.-T. Duverger, Parisien, dix-huit ans, tout fraîche-
ment sorti du lycée Napoléon, avait tant vu de ses
anciens du collège partir pour l'armée et reparaître,
de temps à autre, entre deux campagnes, avec des airs
blasés sur toutes les aventures imaginables, belliqueuses
ou tendres, qu'il fut pris, à peine ses études terminées,
du désir de courir le monde comme les autres, d'entrer
en vainqueur dans les capitales et de se couvrir de
gloire. Un motif plus prosaïque le poussait encore à
quitter Paris : ses parents, bourgeois aisés, rêvaient pour
lui une existence calme et parlaient de le marier. Or,
la jeune fille dont ils avaient fait choix ne plaisait pas
à Duverger, et puis, se marier à dix-huit ans, sans
avoir « volé de belle en belle », ainsi qu'en avaient la
réputation tous les compagnons de guerre de l'Empereur, lui paraissait un sort bien austère; d'autre part
le métier des armes n'est pas sans désagréments; on en
pouvait juger au nombre d'éclopés qui revenaient
d'outre-Rhin. Duverger prit un moyen terme : muni
de recommandations, il partit pour Hambourg, sollicita
et obtint une place de payeur dans la division Com-

pans; de la sorte, vivant avec le Trésor, qu'on tient le plus possible, comme personne ne l'ignore, à l'abri des surprises de l'ennemi, il aurait de la guerre tous les avantages sans en risquer les inconvénients.

On était en 1812; à peine sanglé dans son uniforme, le jeune payeur apprit que le corps auquel il était attaché partait pour la Russie. Dans les premiers jours de juin, il est sur le Niémen; il imaginait la guerre plus amusante; il couche au bivouac, dort en plein air, tantôt sur la paille, tantôt sur la dure; la pluie tombe à flots ou le soleil darde impitoyablement. Et puis Duverger a grand-peur, et il ne le dissimule pas. Un jour, en traversant un bois, il s'écarte de la colonne, se trompe de chemin, se perd et chevauche sur sa fidèle Cocotte, pendant près de deux heures sans rencontrer personne... que des troncs d'arbres, et des buissons qui, tous, de loin, lui paraissent être des cosaques embusqués. Son humeur martiale l'a abandonné; il tourne bride et regagne le camp à la hâte.

Une certitude, subitement acquise, le déconcerte grandement. Tout ce qu'on lui a enseigné au collège est sans utilité; on l'a bourré de langues mortes et de mathématiques; dans sa mémoire flottent des bribes de Virgile et des « tournures élégantes » d'Horace; les logarithmes et les racines grecques sont certainement pour lui sans mystère — et on ne lui a pas appris sinon à se passer de nourriture (ce qui serait pourtant bien pratique), du moins à faire le feu et à cuire la soupe. Quand il est de popote, le bois qu'il allume ne flambe pas et se consume en fumée résineuse qui lui pique les yeux et ne donne pas de chaleur; assez cependant pour brûler un civet de cheval ou durcir, au point de les rendre immangeables, des haricots secs dé-

couverts — rare aubaine — dans un village abandonné.
Si, pour puiser de l'eau destinée à cuire du riz, il
plonge dans une source sa casserole, il enfonce trop
avant et ramène plus de sable que de liquide; il faut
jeter riz et bouillon. Le pauvre payeur, en tant que
cuisinier, n'a pas l'estime de ses camarades qui manifestement, malgré son latin et son grec, le considèrent
comme un propre-à-rien.

Bientôt Duverger n'a plus qu'une hantise, qu'un
désir : manger. Pendant plus de deux mois, il ne
connaîtra qu'imparfaitement cette jouissance. Ah! la
maison paternelle! La table abondamment servie, le
bœuf à la mode et le miroton de France! Quelle tor-
ture de penser à ces choses! Même il n'est pas impossible que, parfois, il regrette la fiancée dédaignée que,
dans leur sagesse, lui proposaient ses parents : celle-là,
du moins, saurait lier une sauce et mijoter un ragoût.

A Moscou, après les incendies et le désarroi des
premiers jours, il goûte un peu de répit, parvient à
s'installer, se lie avec une jeune Russe, et satisfait à
peu près son bel appétit. Il s'est procuré des figues, du
macaroni, de la viande salée, des liqueurs; même, pour
se réhabiliter dans l'esprit de ses collègues, il offre un
dîner de douze couverts. Il a obtenu, de l'ordonnateur
de la garde, une cuisse de bœuf qui, présentée sous
différents aspects, compose tout le menu : pot-au-feu,
bouilli, boulettes frites, filet piqué. Et l'on s'assure de
provisions pour le retour. Le 19 octobre, commence la
retraite; chacun a sa voiture, chacun prétend ramener
en France sa part de butin : deux camarades de Duverger emportent, l'un une énorme caisse de quinquina,
l'autre une bibliothèque de beaux livres dorés sur
tranche et reliés en maroquin. Le jeune payeur, lui,

s'est chargé de bijoux, de fourrures, de tableaux « de grands maîtres », qu'il détache de leurs cadres et dont il roule les toiles pour plus de commodité; mais il pense surtout au solide et se munit de riz, de sucre, de café et de trois grands pots de confitures dont il agrémentera ses desserts.

Hélas! quinze jours plus tard on est encore au cœur de la Russie et les provisions sont déjà épuisées. Le froid est venu, la neige tombe; Duverger doit sortir de ses coffres et revêtir une belle pelisse de femme, couverte de taffetas jaune, dont les manches dépassent la longueur de ses bras : l'excédent lui sert de mouchoir. Il faut manger du cheval, et quand le cheval manque, improviser le brouet spartiate dont voici la recette : faites fondre une bonne quantité de neige, délayez-y de la farine et du cambouis de voiture, assaisonnez avec de la poudre, à défaut de sel, et servez brûlant, si possible. Et ce ne sont là encore que les menus inconvénients de la route. Arthur Chuquet, qui a eu connaissance du *Journal* de Duverger, nous en a donné un intéressant résumé : croquis d'Histoire, pris sur nature et sans retouches. Le froid, la fatigue, la faim tuaient chaque jour les hommes par milliers. « La mort, écrit le payeur, s'annonçait par d'étranges symptômes : celui-ci vous abordait, l'air souriant, la figure épanouie; c'était un homme perdu; cet autre vous regardait d'un air sombre, sa bouche proférait des paroles d'indignation et de désespoir : c'était un homme perdu... » Plus terrible encore que la mort, plus impitoyable est l'égoïsme général : « Il n'y a plus d'amis; les cœurs sont brisés, les âmes éteintes; on se regarde avec une stupide indifférence; on écarte du pied le cadavre qui occupe une place au feu; on repousse avec colère le

mourant qui s'imagine avoir droit à cette place. »
L'égalité de misère confondait à ce point les rangs,
qu'il arriva même à Duverger de « bousculer » Napoléon. La pauvre Cocotte était morte; il se traînait à
pied; on approchait de Smolensk, et la cohue se pressait
aux abords de la ville. Dans l'ardeur de ses efforts
pour se frayer un chemin, le payeur heurte un homme
« court, assez gros, vêtu d'une pelisse verte, coiffé d'une
toque de velours ». L'homme se retourne brusquement. Epouvante : c'est l'Empereur! Duverger ne cache
pas qu'il fut « interpellé fort incivilement », et on
peut l'en croire; il fait tant bien que mal des excuses,
insiste pour passer; Napoléon s'écarte, et le trésorier
se faufilant, lui creuse un sillon dans la formidable
bousculade.

De toutes les aventures du jeune Parisien, à jamais
dégoûté du métier des armes et des vicissitudes de la
guerre, plus séduisante décidément en récits qu'en réalité, la moins banale l'attendait au bord de la Bérésina. Il avait, depuis longtemps, perdu tous ses bagages, jeté sa galerie de tableaux et distribué ses fourrures; parvenu au bord du fleuve fatal, il s'apprêtait
à s'engager sur le pont avec les fourgons du Trésor
que les gendarmes d'élite avaient l'ordre de protéger;
mais la poussée est telle qu'il manque l'entrée du passage, est refoulé, tombe dans un puits — tari, par
bonheur —, et le voilà au fond d'un trou de dix
mètres de profondeur. Il ne s'est pas blessé dans sa
chute; mais comment sortir de là? De toutes les forces
de ses poumons, il appelle à l'aide. Entendra-t-on sa
voix dans le grand tumulte de la déroute? Et si on
l'entend, par miracle, qui aura la pitié de s'attarder à
lui porter secours? Il crie si fort et si longtemps que

quelques braves gens, immobilisés par l'entassement des fuyards, s'attroupent au bord du trou, entrent en pour-parlers avec Duverger, et sur son assurance qu'il est intact et vaut encore la peine d'être sauvé, lui jettent une corde au bout de laquelle est noué un gros bâton. Il s'assied sur le bâton, empoigne la corde à deux mains; on le hisse; déjà il revoit la lumière; il étend le bras pour atteindre la margelle du puits... la corde casse; il retombe. Cette fois, c'est bien la mort; mais il ne s'y résigne pas, il se recommande à tous les saints du paradis, et dans son désespoir, il prononce le vœu solennel que s'il sort sain et sauf de cette oubliette, il renoncera pour toujours à la gloire militaire, rentrera au plus vite à Paris, et docilement épousera, en expia-tion de sa filiale indiscipline, la jeune fille que ses parents lui destinent. Aussitôt la corde redescend; il s'y agrippe éperdument; le voilà dehors, moulu, froissé, tremblant la fièvre, perclus d'émoi et de courbatures. On le place sur un fourgon; il s'endort... et quand quelques heures plus tard, il se réveille, il est du bon côté de la Bérésina, en route pour Vilna, la terre pro-mise, où il arrive le 10 décembre.

Le retour vers la France fut bien probablement sans entrain; malgré la douceur de coucher entre des draps de toile et de manger à sa faim, le vœu téméraire qu'avait prononcé Duverger devait émousser sa joie de revivre : du fond d'un trou de trente pieds de pro-fondeur, il s'était engagé volontiers à troquer contre une union peu attrayante la perspective d'une horrible et lente agonie; maintenant qu'il avait repris pied dans l'existence, l'engagement conclu avec le ciel lui parais-sait sans doute moins avantageux. La Providence, qui

l'avait si manifestement protégé, lui tenait en réserve
un surcroît de faveurs. Quand Duverger fut rentré à
Paris, il s'informa : — ô bonheur! — la jeune personne ne l'avait pas attendu; elle était mariée. L'heureux payeur se trouvait à la fois libéré et de son
vœu et de sa prétendue, et j'imagine qu'ayant définitivement renoncé aux escapades belliqueuses, il fut plus
satisfait de ce dénouement imprévu que si, pour prix
de ses campagnes, il avait obtenu le bâton de velours,
brodé d'abeilles, des maréchaux de l'Empire.

CE QUE L'ON TROUVE
AU FOND DE LA BÉRÉSINA

« Borisof! »

L'employé du chemin de fer chargé d'annoncer le nom de cette station, sur la ligne Varsovie-Moscou, n'imagine certes pas combien son appel inattentif rend songeurs les Français qui se trouvent dans le train. Borisof est situé au bord de la Bérésina, à trois grandes lieues du village de Stoudienka où, en novembre 1812, la Grande Armée passa la rivière.

Descendons. La gare de Borisof est loin de la ville : trois verstes, presque une lieue. Le chemin sablonneux, tracé sur la rive droite, passe d'abord entre de grandes casernes neuves; puis viennent des maisons basses et misérables, formant un faubourg que le voisinage de ces casernes a fait surgir. Ensuite, on traverse un bois de sapins, au bout duquel la route s'infléchit vers la droite, non loin des vallonnements d'un ancien retranchement presque entièrement détruit le 21 novembre 1812 et rétabli l'année suivante. Une courte descente et l'on est au bord de la rivière : c'est la Bérésina.

D'ici l'on aperçoit la ville, bâtie sur la rive gauche. Pour l'atteindre, il faut traverser un pont ou, pour

mieux dire, une succession de ponts et de digues, en-
jambant d'île en île et dont le développement total a
une longueur de 750 mètres. La campagne, malgré le
printemps commençant, est d'aspect triste; les champs
de terre noire verdissent à peine. La rivière, qui coule
du Nord au Sud, se divise en un grand nombre de
bras, enserrant des îlots bas, dont le courant peigne
les grandes herbes ondulantes. D'innombrables trou-
peaux d'oies sauvages garnissent les berges plates. A
vingt mètres en amont du pont actuel apparaissent, çà
et là, sous l'eau peu profonde, la file des chevalets
calcinés et pourris du vieux pont détruit par les Russes
le 23 novembre 1812 et dont l'absence obligea l'armée
française à chercher un autre passage.

Borisof n'est qu'une bourgade. Selon la règle commune la prison et l'église, bâties en pierre au centre
de la ville, en sont les seuls monuments. Rien ne signale la maison de bois où, le 25 novembre, Napoléon
arriva, vers cinq heures de l'après-midi et resta jusqu'à
onze heures du soir, longuement absorbé dans la
contemplation de ses cartes. Le passage à Borisof étant
impossible, il fallait faire choix d'un autre point dans
les environs. Les cartons du ministère de la guerre
contiennent encore deux croquis, tracés à la hâte par
les officiers envoyés en reconnaissance le long de la
rivière. C'est avec respect que l'on considère ces grif-
fonnages dont dépendait le salut de la Grande Armée
et sur lesquels tout le génie de l'Empereur s'est
concentré.

Un gué, situé à trois lieues de Borisof, en amont,
c'est-à-dire au nord de la ville, fut désigné, tout près
du village de Stoudienka. Allons. Au sortir de Borisof,
le chemin se divise : à gauche, c'est la route qui suit

la rivière et se prolonge dans la vallée; à droite est le chemin des hauteurs sur lequel s'engagea, par erreur, la division Partouneaux qui vint buter contre les Russes, et après d'héroïques efforts, fut réduite à se rendre. Les deux chemins, d'ailleurs, se rejoignent à la métairie du Vieux-Borisof. C'était, en 1812, une ferme appartenant au prince Radziwill; le domaine devenait en 1914 la propriété de S. A. I. le grand-duc Nicolas Nicolaievitch. Toute l'armée est passée là. L'Empereur y parvint dans la nuit du 25 au 26 novembre et fut logé dans la maison de l'intendant, le baron Korsach, simple pavillon de bois à un seul étage; longtemps après le séjour de Napoléon, on y voyait encore des noms que divers personnages faisant partie de la suite impériale avaient gravés au couteau sur une poutre. Napoléon ne se coucha pas; il ne tenait pas en place, sortait à chaque instant de la maison, écoutait les rumeurs de l'armée en marche, demandant fréquemment si le jour n'allait pas bientôt paraître. Il partit à cinq heures, c'est-à-dire bien avant l'aube, se rendant à Stoudienka où, durant toute la nuit, on avait travaillé à l'établissement des ponts.

A un kilomètre au-delà de cette ferme du Vieux-Borisof sont les ruines d'un moulin incendié dans la nuit du 28 novembre 1812. Puis la route monte sur un plateau où les champs alternent avec les bois : là est le village de Bytchi; on traverse un bois; on dépasse une briqueterie; on franchit un petit pont jeté sur un ruisseau marécageux; enfin on est à Stoudienka. A deux cents mètres, la Bérésina coule lentement; sa largeur n'excède pas « celle de la rue Royale à l'entrée de la place de la Concorde ». La berge de la rive gauche est plus élevée que l'autre, jadis marécageuse, à présent

plantée d'arbres et sur laquelle on aperçoit les maisons
du village de Brili. C'est là. Le pont supérieur, destiné aux piétons, était en face de Brili; l'autre, réservé
à la cavalerie et aux canons, se trouvait établi un peu
en aval, à la hauteur de Stoudienka.

Oui, c'est là qu'il faudrait relire Fain, Ségur, Marbot,
Gourgaud, Roguet, le sergent Bourgogne et tant
d'autres qui nous font revivre ce tragique épisode de
notre épopée. Les pontonniers d'Eblé, exténués par
quarante-huit heures de marche ininterrompue, se sont
jetés, tout nus, dans l'eau froide qui charrie des gla-
çons et y travaillent tout le jour; on n'a pas une goutte
d'eau-de-vie à leur donner, et ils ne trouveront pour
lit, la nuit prochaine, qu'un champ de neige. On dé-
pèce les maisons de Stoudienka pour avoir des poutres
et des planches. Sur la rive, incessamment, s'amasse
une multitude, soldats et officiers de toutes armes,
confondus, couverts de guenilles, fourmillant de vermine; figures hâves, sinistres, noircies par la fumée,
mutilées par la congélation. L'Empereur attend le jour
dans une des maisons qui bordent la rivière, sur un
escarpement couronné de canons. Aux premières lueurs
du jour, le 26, il est sur la berge, se promenant à grands
pas d'un pont à l'autre, parlant à tous, familièrement.

A trois heures, ce jour-là, le passage de l'infanterie
commença; le pont inférieur ne fut terminé qu'à la
nuit. Napoléon passa le 27 dans la matinée et alla se
loger sur la rive droite, à Zanivki, dans une étroite
cabane de bois, à deux compartiments, dont l'un lui fut
réservé, tandis que sa suite, pêle-mêle, occupait l'autre.
Plus tard ce fut le désastre, si souvent conté : cinquante mille hommes se précipitant à la fois vers les
ponts; d'énormes convois de lourdes voitures et de

canons, roulant de la berge déclive, broyant les piétons,
s'entrechoquant, se renversant; des troupes de femmes,
affolées de terreur, courant d'un pont à l'autre, pous-
sées à l'eau, disparaissant avec de grands cris; la lutte
effroyable pour la vie, sous la neige qui tombe, sous le
canon des Russes qui creuse de longues traînées de
vides dans cette masse immobilisée; l'un des ponts
s'écroule; la cohue se refoule vers l'autre, que dans
l'infranchissable entassement les plus résolus seulement
parviennent à atteindre, en escaladant des monceaux
de morts; les jurements, les vociférations, les plaintes
des mourants, les appels angoissés de ceux que l'eau
entraîne, le fracas d'un ouragan furieux... Et stoïquement, dans l'épouvante de ce désarroi, les pontonniers
nus, dans l'eau jusqu'aux aisselles, maintiennent les
planches fragiles et les consolident sous la ruée éperdue
de la déroute, débarrassant le tablier disloqué des cadavres, des chevaux abattus, des charrettes rompues, et
trouvant encore la bonne humeur de souhaiter heureuse chance aux camarades qu'ils reconnaissent. Sur
cette berge, si paisible et silencieuse aujourd'hui, des
centaines et des milliers de malheureux, renonçant à la
lutte, se couchent, résignés, sur la neige, attendant la
mort; et Ségur raconte avoir aperçu un artilleur ber-
çant dans ses bras un enfant qu'il venait de retirer de
l'eau où la mère avait disparu, et disant : « Ne pleure
pas, petit, tu ne manqueras de rien, je serai ton père
et ta famille... »

Nous prenons pour guide, en ce pèlerinage, une très
curieuse étude, publiée il y a quelque quarante ans,
dans le *Carnet de la Sabretache,* par M. le capitaine
Patrice Mahon, qui lui-même suivait la relation d'un
officier de l'état-major russe. M. le capitaine Mahon

a visité ce lieu fatidique et interrogé les habitants de Stoudienka : les paysans trouvent fréquemment dans les champs des débris d'armes, des objets d'équipement, rongés par la rouille, qu'ils recueillent ou qu'ils vendent. Ces découvertes sont sans importance. Le gros du butin était à Vieux-Borisof où, après le passage de l'armée et la capture des survivants abandonnés sur la rive droite, les hangars « regorgeaient de voitures et de fourgons »; les harnachements y étaient « en quantités immenses ». Le baron Korsach avait collectionné les armes de luxe; il montrait « un tiroir entier plein de croix d'honneur françaises et de décorations appartenant à l'une ou à l'autre des *vingt nations* ». Mais c'est le fond de la rivière qu'il faudrait explorer; une seule fois, et dès 1813, une fouille y fut pratiquée; elle fut extraordinairement fructueuse; on tira de l'eau un grand nombre de coffres, de malles, de sacs; plusieurs demeuraient parfaitement imperméables à l'eau et les vêtements qu'on y trouva étaient en parfait état de conservation. Des voitures, des pièces de canon furent ramenées jusqu'au bord; des fusils, des sabres, des objets d'équipement « formaient au fond des amoncellements ». Un médecin wurtembergeois, témoin de cette fouille, racontait avoir vu, au bord de la rivière, « des quantités d'or, d'argent, de pierres précieuses, de bijoux, de montres, que les soldats du détachement se partageaient ». Les propriétaires des environs achetaient à bas prix ces trésors. L'accumulation même de ces reliques leur ôtait toute valeur, et l'on donna l'ordre d'arrêter les travaux.

En 1896, ils furent recommencés, par hasard. La drague qui creusait, dans l'été de cette année-là, le cours supérieur de la Bérésina, vint, au mois d'août,

s'amarrer devant Stoudienka. Le limon superficiel enlevé, les augets de la machine ramenèrent une boue
noire qu'on reconnut être de la poudre décomposée :
cette couche charbonneuse atteignait, dans le lit de la
rivière, une épaisseur de 35 centimètres! On découvrit
aussi des ossements d'hommes et de chevaux, des fusils,
des sabres, lances, casques, éperons; des pièces de mon-
naie; deux icônes et une cuiller rituelle pour la communion orthodoxe. Ces objets, mis sous scellés, furent envoyés à Saint-Pétersbourg, et déposés au musée de l'armée. Pourtant la meilleure part fut, dit-on, détournée
de cette destination officielle; un employé de la briqueterie donna sept roubles d'une lunette d'or : un curieux
se rendit acquéreur d'une paire de pistolets. Si la
récolte ne fut pas plus abondante, c'est parce qu'il y a
bien des années, par une saison de sécheresse, plusieurs
radeaux descendant la Bérésina s'arrêtèrent faute d'eau
à l'ancien emplacement des deux ponts; ils vinrent reposer sur le fond, s'y enlisèrent dans le sable et dans
la vase, et ils forment, depuis lors, une sorte de couvercle que la drague n'a pu percer. M. le capitaine
Mahon concluait que sous ce malencontreux plancher
reposent les principales reliques. Qu'a-t-on fait depuis
la publication de son intéressante étude?

En 1912, France et Russie s'apprêtaient à célébrer
pieusement l'anniversaire du grand drame, aussi glorieux pour l'une que pour l'autre, en explorant métho-
diquement le lit de la rivière et en ramenant au jour,
avec les ossements des héros de la Grande Armée, les
vestiges de leur passage qui auraient été pour les deux
nations du plus haut intérêt... Mais les années ont
passé, années terribles, et le monde a tant souffert qu'il
ne songe plus à commémorer les tragédies d'autrefois.

LA CALADE

C'est actuellement le nom d'une station de bifurcation
sur le chemin de fer de Salon à Aix. Si l'on excepte
les voyageurs obligés de changer de train, je ne pense
pas que les touristes soient tentés d'y séjourner, la Calade n'étant qu'un hameau de 90 habitants et ne possédant aucune curiosité naturelle ou archéologique.
Pourtant le nom de l'endroit fut pendant quelques
jours célèbre, il y a plus d'un siècle, et répété dans
toute l'Europe. Le 25 avril 1814, Napoléon, en route
pour l'île d'Elbe, s'est arrêté là, déguisé en courrier,
et portant au chapeau la cocarde blanche; il y pleura
et en sortit vêtu d'un uniforme autrichien, couvert
d'un manteau d'officier russe et coiffé d'une casquette
prussienne.

Parti de Fontainebleau le mercredi 20, à onze heures
du matin, après les adieux à sa garde, il couchait le
soir à Briare. Le lendemain, il faisait, pour la nuit,
halte à Nevers; le jour suivant, à Roanne; le 23, à
onze heures du soir, il traversait Lyon.

L'Empereur voyageait dans une « dormeuse » à six
chevaux. Treize autres voitures suivaient, portant

Drouot, Bertrand, le commandant polonais Jerzma-
nowski, le trésorier Peyrusse, un médecin, un pharmacien, un secrétaire, un régisseur, deux fourriers du palais, deux valets de chambre, deux cuisiniers, un maré-
chal-ferrant, une demi-douzaine de domestiques, valets
de pied et palefreniers, et les quatre commissaires
étrangers chargés de conduire le souverain déchu à l'île
d'Elbe : le feld-maréchal autrichien Koller, le général
russe Schouwaloff, le général prussien Waldburg-Truch-
sess et le colonel anglais Sir Neil Campbell. Il avait
été convenu que douze ou quinze cents cavaliers de la
garde accompagneraient le convoi; mais ils ne dépas-
sèrent pas Nevers. A partir de Roanne, des détache-
ments de hussards autrichiens et de cosaques les rempla-
cèrent; ceci déplut à l'Empereur, qui déclara refuser
toute escorte. D'ailleurs, nulle contrainte : Napoléon
fixait lui-même les lieux de halte et les heures de départ; il recevait, à l'étape, qui bon lui semblait; les
troupes qu'on rencontrait sur la route lui présentaient
les armes; les tambours battaient aux champs et presque
partout les braves gens, à l'annonce de son arrivée,
repliaient leurs drapeaux fleur-de-lysés et cachaient
leurs cocardes blanches afin de ne point attrister leur
Empereur malheureux.

Après Lyon, tout changea, et à mesure qu'on approchait de la Provence, l'hostilité s'accentuait. Au relais
d'Avignon, à l'aube du 25, des bandes armées attendaient le passage de l'Empereur pour lui barrer la
route; et on cria : « A bas le tyran! A bas Nicolas! »
— Nicolas est le nom du diable dans le Midi. — On
cria aussi : « A bas la mort! » L'Empereur et sa suite
passèrent cependant. A Orgon, on le pendait en effigie
quand il arriva, vers huit heures et demie du matin :

un mannequin, barbouillé de sang fourni par un bou-
cher et portant au cou une pancarte où était écrit
Bonaparte, se balançait au bout d'une corde, sous un
arbre de la place publique. On se rua sur la voiture
de Napoléon, à coups de pierre et de bâton; il dut descendre pour assister à l'autodafé de son image, parmi
les battements de mains et les hurlements; même des
mégères se jetèrent sur lui, arrachèrent sa décoration
tandis qu'un grand diable de paysan le tenait au
collet, le secouait et le forçait à crier : « Vive le roi! »
On a retenu le nom de ce héros : il s'appelait Durel,
et il se vanta de son exploit... jusqu'au retour de
l'Empereur, époque à laquelle bon nombre d'habitants
d'Orgon jugèrent prudent de disparaître et de quitter
le pays.

Indignés, les commissaires étrangers hâtèrent le chan-
gement de chevaux, et la voiture impériale poursuivit
sa route; mais à quatre lieues d'Orgon, au relais de
Pont-Royal, comme on redoutait les violences de la
populace des bourgades qu'on devait traverser, l'Empereur mit à profit le temps d'arrêt pour échanger sa
veste à plastron blanc, sa redingote et son chapeau,
trop reconnaissables, contre une grande houppelande
bleue et un chapeau rond orné d'une cocarde blanche;
puis il quitta sa voiture où le maréchal Bertrand prit
sa place, enfourcha un bidet de poste et se lança sur la
route, jouant le rôle de son propre courrier, en compagnie d'un seul postillon.

Il peut être dix heures du matin au moment où
Napoléon quitte, dans cet accoutrement, le relais du
Pont-Royal, car on marchait, depuis Avignon, à l'allure
moyenne de 11 kilomètres à l'heure. Le mistral fait
rage et soulève des tourbillons de poussière. C'est la

première fois, depuis bien des années, que l'Empereur
galope ainsi dans la campagne sans ses mameluks, sans
son escadron d'honneur, sans son état-major de rois,
de princes et de maréchaux. Quelles peuvent être ses
pensées, dans cet isolement subit, tandis qu'il va, courbé
sur son mauvais cheval, et portant à son chapeau la
cocarde des Bourbons? La route qu'il suit — et qu'il a
parcourue pour la première fois alors qu'il était capitaine d'artillerie; qu'il a revue encore à son retour
d'Egypte —, la route file entre les rochers et les bois
de pins, en longues ondulations coupées de descentes
rapides et de montées rudes. Les villages y sont rares :
le pays est désert, âpre, misérable et caillouteux. Une
lieue après le Pont-Royal, c'est la ferme de la Taillade,
puis celle de Cazan. Une lieue plus loin encore, l'auberge de Libran; puis une gorge à franchir dans les rochers de Valbonette; ensuite, c'est Lambesc, un bourg
de 2 000 habitants, une oasis de prairies et de bois
d'oliviers dans une région montueuse et aride. Les
gens qui voient passer, sans lever la tête, ce courrier
poussiéreux et fourbu, ne se doutent pas, bien certainement, que c'est là l'empereur Napoléon, qui, si peu de
temps auparavant, n'entrait dans les villes que par des
portiques triomphants au bruit des fanfares et des
salves. On dit cependant qu'un militaire retraité l'a
reconnu, au passage, dans les rues de Lambesc, et n'a
pu s'en taire, ce qui suscita quelques cris de « Vive le
roi! » Le cavalier active sa monture et disparaît. Une
lieue de côtes, puis une descente vers le village de
Saint-Cannat. L'Empereur a dû, là, prendre un cheval
frais, car à Saint-Cannat est le relais de poste. Malgré
sa fatigue, il repart vers onze heures et demie; il
pousse son cheval sur la route droite, courant mainte-

nant à travers un pays plus riant. Les hameaux se succèdent à courte distance, entourés de vignes et de bosquets d'amandiers. Deux lieues après Saint-Cannat, à
la ferme de Solignac, rencontrée vers midi, le grand
chemin descend en une longue pente à travers des
carrières de plâtre. Le cavalier avance toujours. Enfin,
deux lieues plus loin encore — il est à peu près une
heure de l'après-midi —, il s'arrête à la Calade, devant une grande auberge de rouliers, située à droite
de la route et au seuil de laquelle se dresse un peuplier. Il est harassé, horriblement meurtri par la selle, à
bout de souffle. Depuis trois heures qu'il chevauche
sous le mistral, il a parcouru huit lieues.

Le postillon qui l'accompagne met les chevaux à
l'écurie — très longue, avec, au seuil, un vieux puits.
La façade de la maison s'étend sur plus de cinquante
mètres : un rez-de-chaussée surmonté d'un étage, et
coiffé d'un pigeonnier au-dessus de la porte d'entrée.
Dans la vaste salle à manger, qui est tout ensemble la
cuisine, la broche tourne au-dessus du feu, présentant à
la flamme des chapons dont la chair se dore. Rien de
ces choses n'a changé : le peuplier est devenu géant et
mesure à sa base cinq mètres de circonférence; l'ancienne écurie reste debout; la vieille salle a toujours
ses poutrelles au plafond et sa grande cheminée; seule
la broche a disparu; mais les poids de sa roue à crémaillère sont restés pendus au mur de l'âtre.

Napoléon est entré là : il s'adresse à l'hôtelière et se
présente comme étant Sir Neil Campbell. Il demande
une chambre; la femme n'en a qu'une disponible, pièce
basse et très sombre; elle la fait voir au voyageur qui
déclare que c'est suffisant. Tandis qu'elle s'occupe d'y
mettre un peu d'ordre, elle bavarde suivant la coutume

des aubergistes empressés, interroge son nouveau pen-
sionnaire, cherchant à savoir s'il n'a pas rencontré
sur la route Bonaparte dont le passage est annoncé : à
quoi il répond laconiquement : *non*. Alors elle
s'échauffe, proteste que « le monstre » n'arrivera pas
vivant dans son île; s'il n'est pas massacré avant le
port d'embarquement, elle espère bien qu'on le jettera
à la mer pendant la traversée. Tel fut son thème, ainsi
que l'a rapporté, en 1827, un Anglais, Sir Richard
Unterwood qui, prisonnier de guerre en France, avait
recueilli, sur le tragique voyage de Provence, le témoi-
gnage de son compatriote, Sir Neil Campbell; ce récit,
paru, pour la première fois, dans le *London Magazine*
et traduit par la *Revue Britannique,* rapproché d'une
autre narration due à la vicomtesse de Fars-Fausse-
landry, apporte une bien intéressante contribution à
l'itinéraire de Napoléon.

La scène de la Calade, ce dialogue entre l'Empereur
travesti et l'hôtelière exaltée, offrait riche matière à
l'amplification. On raconte que cette femme, apprenant de son hôte l'arrivée prochaine de Bonaparte et
de sa suite, déclara net « qu'elle serait bien fâchée de
préparer un dîner pour un pareil monstre »; on prétend aussi que cette luronne, s'adressant à Napoléon
qu'elle prenait pour quelque comparse, lui dit : « Ta
mine me revient, mon garçon, et je ne te conseille pas
de t'embarquer avec ton maître; sûrement on lui fera
boire un coup dans la mer, à lui et à toute sa séquelle,
et on aura raison, car sans cela, il sera de retour dans
trois mois. » Comme elle finissait d'aiguiser sur la
meule un de ses couteaux, elle l'invita, en ricanant, à
en toucher la pointe avec le doigt. « Il est bien affilé,
regarde; si quelqu'un veut, tout à l'heure, utiliser l'ins-

trument, je le prêterai volontiers; ce sera plus tôt
fait. » Mme de Fausselandry ajoute que Napoléon,
interrompant l'aubergiste, lui demanda : « Vous le
haïssez donc bien cet Empereur? Que vous a-t-il fait?
— Ce qu'il m'a fait, le monstre? Il est cause de la mort
de mon fils, de mon neveu et de tant de jeunes gens... »
Il est bien possible que ces choses aient été dites, car
pour s'en tenir au précis, plus véridique, de Sir
R. Unterwood, cette conversation produisit sur Napoléon une impression si vive que, une demi-heure plus
tard, quand les berlines arrivèrent et que les commissaires étrangers pénétrèrent dans la salle d'auberge, ils
le trouvèrent assis, tenant sa tête appuyée sur ses deux
mains. Il la releva à leur approche : ses yeux étaient
pleins de larmes. En l'entendant appeler « Sire » par
ses compagnons, l'aubergiste s'écroula de terreur.

Le dîner servi, l'Empereur ne mangea pas; blême de
colère, il jeta à terre un verre de vin qui lui était
présenté. Un attroupement grossissait sur la route : le
bruit s'était répandu que Bonaparte arrivait, et des
gens, pour le voir, accouraient d'Aix, qui n'est qu'à
deux lieues de la Calade. Il fallut donc rester dans
cette auberge tout le jour et aussi une partie de la
nuit; et c'est alors que, ne pouvant s'aventurer de nouveau à cheval dans ce pays soulevé contre lui, Napoléon
résolut, au moment du départ, vers une heure du
matin, de troquer sa houppelande de courrier contre
un costume étranger; il emprunta, comme on l'a vu, à
l'Autrichien sa tunique, au Prussien sa coiffure, au
Russe son manteau et remonta dans sa dormeuse qui
traversa Aix bien avant le jour. Le 26 au soir, Napoléon atteignait le château de Bouillidou, non loin du
Luc, où il retrouvait sa sœur Pauline.

Ce qui n'a jamais été dit, je crois, c'est la folle épouvante dont fut saisie l'hôtelière de la Calade quand, un an plus tard, elle apprit que l'ogre, échappé de son île, marchait triomphalement sur Paris. Où se cacha-t-elle tant que dura la nouveau règne de celui qu'elle avait, face à face, traité de tyran et de monstre? Et que dut être l'attitude de ses clients, auxquels, bien certainement, elle avait maintes et maintes fois raconté que seule de tant de mères en deuil, elle avait eu l'audace de honnir en présence du conquérant vaincu ses hécatombes inutiles? C'est peut-être depuis ce temps-là que la Calade, prudemment désertée par ses proprié-taires et par ses habitués, a cessé d'être une auberge.

LA PLUS BELLE CAMPAGNE
DE LA VIEILLE GARDE

LE traité signé le 11 avril 1814, entre les souverains
alliés et Napoléon trahi, abandonné, dégoûté du pouvoir et des hommes, autorisait l'Empereur, pour former
la garnison de l'île d'Elbe, où il allait vivre désormais,
à recruter, parmi sa garde, « 400 hommes de bonne
volonté, tant officiers, sous-officiers que soldats ».

C'est l'heure où Napoléon n'attend plus rien de sa
destinée lassée. Sa femme, ses frères n'ont point paru;
ses maréchaux, ses plus chers compagnons de gloire
l'ont quitté sans un mot d'adieu, après lui avoir arraché son abdication, son médecin s'est enfui; son valet de
chambre, qui le servait depuis le Consulat, a disparu;
le mameluk Roustam lui-même, ce chien qui couchait
en travers de sa porte, a déserté comme les autres.
L'isolement du vaincu est tel, qu'à l'une de ses dernières visites, dans Fontainebleau silencieux, personne
ne se trouve là pour ouvrir la porte du petit appartement impérial à Caulaincourt qui est obligé de s'annoncer lui-même.

Il n'y a plus de fidèles que les grognards de la
Vieille Garde occupant les postes du château. Ceux-là

n'ont pas été gorgés de pensions, parés de titres, honorés, enrichis, fêtés, anoblis. Ils ont suivi leur général
sur toutes les routes de l'Europe, manquant souvent de
pain, de chaussures, d'abris, ils n'attendent rien de lui;
mais ils sont du peuple de France et la pensée de
l'abandonner maintenant qu'il est abattu ne leur vient
même pas. Apprenant qu'il est autorisé à désigner 400
hommes pour le suivre à l'île d'Elbe, ils se disputent
l'honneur de s'exiler avec lui. On put croire que le
choix serait impossible, tant les demandes furent nom-
breuses. Le duc de Vicence racontait plus tard qu'un
matin, comme Napoléon se promenait, solitaire et rêveur, dans le petit jardin de l'Orangerie, sur lequel
s'ouvrait son appartement, un cuirassier en grande tenue sortit de la galerie des Cerfs et s'avança vers lui.
« Mon Empereur, dit-il, je réclame justice. J'ai vingt-
deux ans de service, je suis décoré, et je ne suis pas
porté sur la liste de départ. Si on me fait ce passe-
droit-là, il y aura du sang de répandu. — Tu as donc
envie de venir avec moi? — Ce n'est pas une envie,
mon Empereur, c'est mon droit; c'est mon honneur que
je réclame. — As-tu bien réfléchi qu'il faut quitter la
France, ta famille, renoncer à ton avancement? Tu es
maréchal des logis... — Je leur en fais la remise de
l'avancement... Quant au reste, je m'en passerai... et
pour ce qui est de la famille, il y a vingt-deux ans que
vous êtes ma famille, vous, mon général. J'étais trompette en Egypte, si vous vous rappelez. — Allons, tu
viendras avec moi, mon enfant, j'arrangerai cela. —
Merci, mon Empereur, j'aurais fait un malheur, c'est
sûr! »

La petite armée fut formée; on avait été obligé de
l'augmenter de moitié pour éviter les rixes et les coups

de désespoir. Elle quitta Fontainebleau le 14 avril,
emmenant les équipages de l'Empereur qui devait se
mettre en route seulement une semaine plus tard.
Conduits par le général Cambronne, les six cents grognards, anonymes et immortels, partirent au pas de
parade, tambours battants, l'étendard tricolore déployé
et commencèrent cette marche héroïque de trois cents
lieues à travers le pays pavoisé de drapeaux blancs,
parmi une population pressée de manifester son roya-
lisme de commande et de renier avec ostentation ses
enthousiasmes passés, devenus compromettants. Partout
l'attitude des grognards imposa un respect proche voisin du remords. Ils allaient, par la France envahie, sans
rien voir ni rien entendre, semblables à ceux qu'à
peints Chateaubriand, « sentant le feu et la poudre ».
A la traversée des villes occupées par les ennemis, ils
avançaient, impassibles et graves; jamais figures humaines n'exprimèrent « quelque chose d'aussi mena-
çant et d'aussi terrible ». On les sentait prêts à « manger la terre ». — « Les uns, agitant la peau de leur
front, faisaient descendre leur large bonnet à poils
sur leurs yeux... Les autres abaissaient les deux coins
de leur bouche, dans le mépris de la rage; les autres,
à travers leurs moustaches, laissaient voir leurs dents
comme des tigres ». Quand ils maniaient leurs armes,
« c'était avec un mouvement de fureur, et le bruit de
ces armes faisait trembler ».

Le passage de la formidable phalange arrachait aux
paysans un dernier cri de *Vive l'Empereur!* Dans les
bourgades, on regardait avec stupeur défiler ces fantômes de la grandiose légende; à l'étape, les soldats
étrangers, logés chez l'habitant, se hâtaient de déguerpir

pour laisser leurs aises à ces gaillards déterminés. Dix
lieues après Avallon, à Saulieu, un major autrichien,
dont les troupes cantonnaient dans le village, refusa de
céder la place. Cambronne vint le trouver : « C'est
comme ça que tu t'y prends, dit-il; eh bien, mets tes
hommes d'un côté, je mettrai les miens de l'autre, et
nous verrons à qui les logements resteront ». L'Autrichien n'insista pas.

L'adjudant-major Laborde, avec cinq hommes, pré-
cédait, en fourrier, la petite troupe. Comme il arrive
aux portes de Lyon, il se heurte à un chef de poste qui,
royaliste fanfaron, refuse tout entretien tant que les
Elbois n'auront pas enlevé de leurs bonnets la cocarde
aux trois couleurs. Laborde tire son sabre; le chef du
poste s'enfuit; pas un de ses soldats ne prend sa défense.
Le bataillon sacré approche des barrières; vingt mille
Autrichiens ont pris les armes, fusils chargés, artillerie
attelée, comme à la veille d'une bataille, pour tenir en
respect ces six cents braves auxquels — tant ils font
peur — on ne permet pas de pénétrer dans la ville;
ils traverseront seulement Bellecour pour gagner la
Guillotière et la rive gauche du Rhône.

Ils avancent, en bon ordre, drapeau déployé, toujours impassibles, avec leurs tambours en tête, et leur
musique : quatre clarinettes, une flûte et un cor. Les
Lyonnais sont accourus pour assister à ce défilé solennel. Un d'eux n'ayant pu réprimer un cri de *Vive la
garde impériale!* certain officier étranger le bouscule;
l'autre lui arrache son épée, la brise et dit : « Voici
mon adresse; je t'attendrai chez moi pour te rendre les
morceaux!... » Les grognards laissent derrière eux un
sillage d'héroïsme.

Comme ils traversent Bellecour, quelques voix parties

d'un groupe d'Allemands installés devant un café, ricanent : « A bas la cocarde tricolore! » Le colonel Mallet, qui marche en tête de la colonne, commande : « Halte! » Les grenadiers s'arrêtent, les fusils retombent, et Mallet, s'avançant seul vers le café : « Je demande raison, dit-il, à ceux qui ont eu la lâcheté d'insulter la garde. » Tous les buveurs se taisent; ceux qui sont aux tables de la terrasse se réfugient dans le café. Mallet regagne son rang : « Arme sur l'épaule, en avant, marche! » et les vieux soldats de l'Empereur reprennent leur route vers le pont du Rhône.

A Pont-de-Beauvoisin ils entrèrent en Savoie; ils traversèrent Chambéry, Montmélian, Saint-Jean-de-Maurienne, Lans-le-Bourg; gravirent le mont Cenis, escortant toujours les quatre canons, les vingt-sept voitures et les chevaux de l'Empereur, parmi lesquels *Wagram,* un arabe gris pommelé; l'*Emir,* superbe alezan à la crinière noire; le *Roitelet,* dont le poil, aux jarrets, brûlé par l'obus d'Arcis-sur-Aube, ne repoussa jamais; *Tauris,* qui avait porté Napoléon à la *Bérésina,* et l'*Intendant,* splendide bête, réservée aux revues et aux marches triomphales. Les grognards le connaissaient bien, celui-là; ils l'appelaient familièrement *Coco;* et l'on imagine avec quelle vénération ils considéraient ces coursiers impériaux qu'ils avaient si souvent aperçus galopant dans la fumée des batailles. A défaut du *Petit Caporal,* c'était quelque chose de lui qu'ils emmenaient avec eux. Ce qu'on voudrait connaître, c'est la façon dont vécurent ces braves sur la route; ils ignoraient vers quel point du monde on les conduisait, et ce qu'était cette île d'Elbe qui allait être leur patrie. « Nous ne savons pas où nous allons, disaient-ils; mais nous savons que nous retrouverons l'Empereur; cela

nous suffit, nous sommes contents. » Et leurs chansons
pendant la route? Et leurs causeries, le soir, au bivouac? Que devaient être leurs récits à la veillée? On
ne sait rien de ces choses, vieilles aujourd'hui de cent
vingt ans, et dont la grande Histoire — l'ingrate! —
ne s'est pas souciée.

Ils campèrent au vieil hospice du mont Cenis, descendirent vers les plaines d'Italie, tambour en tête, drapeau au vent. Rien, ni personne ne les aurait arrêtés;
ils seraient morts jusqu'au dernier, plutôt que de mettre
dans sa gaine leur étendard aux trois couleurs et de dissimuler leurs vieilles cocardes, même en territoire étranger. N'étaient-ils point partout chez eux? Ils arrivèrent,
le 18 mai, à Savone, dont la garnison anglo-sicilienne
était « un ramassis de tout ce qu'on avait trouvé de plus
abject dans les égouts des gens sans aveu ». Ces sacri-
pants, se voyant en nombre, firent mine de chercher
querelle aux Elbois; cette velléité ne dura guère. Pour
amadouer ces terribles Français, dont l'allure ne semblait pas conciliante, le commandant de la place offrit
un banquet aux officiers du bataillon qui burent, crâne-
ment, à la santé de l'Empereur et de la Vieille Garde.
C'est avec autant de déférence qu'on invita la petite
armée de Napoléon à prendre place sur les navires
anglais qui devaient la transporter à l'île d'Elbe. Le
23 mai, les grognards prirent la mer; le 26, au matin,
ils abordaient au quai de Porto-Ferrajo, et, à peine à
terre, formant les rangs, musique en avant, astiqués,
guêtrés, fourbis, rasés de frais comme à une revue du
Carrousel, ils entrèrent dans la ville par la porte de
mer, s'arrêtèrent sur la grand-place, formèrent le carré,
et là, là seulement, leur triomphale impassibilité n'y

tint plus. L'Empereur, accouru à leur rencontre jusqu'au débarcadère, est devant eux, le visage rayonnant
de joie; il leur parle, il les contemple tous « avec une
sorte d'amour »; il embrasse Cambronne; on l'entend
dire : « J'ai passé de bien mauvais moments à vous
attendre; enfin nous sommes réunis; tout est oublié. »
Les rudes moustaches frémissent; les grosses mains trem-
blent sous le poids des fusils; les visages brunis gri-
macent; les larmes coulent. Les vieux de la vieille
pleurent; ils crient, ils rient, ils chantent; ils sont fous
de bonheur; ils se répètent avec ivresse un mot que
l'Empereur a dit; ils se racontent un signe qu'il a fait,
un regard où chacun s'est cru reconnu. Et ce mot, ce
signe, ce regard les paient de toutes leurs fatigues; ils
ne pensent plus aux parents laissés là-bas, à l'avancement dédaigné, à la misère qui les attend, à l'exil
auquel ils se condamnent, et ils ne se lamentent que
d'une chose, c'est de ne savoir comment témoigner leur
reconnaissance à celui pour lequel ils sacrifient tout.

MARAT-LEPELETIER PONS

Comme on pense bien, il n'avait pas été affublé au baptême de ces deux prénoms pompeux, et ceci par la raison qu'il était né, en 1772, de braves et pauvres gens tenant à Cette une petite auberge et qui avaient mis tout simplement leur enfant sous le patronage de l'apôtre saint André. Mais, en 1793, à vingt et un ans, Pons, qui depuis plusieurs années avait vu le monde et pas mal navigué, renia ledit patron comme entaché « d'obscurantisme », et choisit pour parrains, au martyrologe de la Révolution, les deux plus fameux héros de la cause de la liberté. Telle était la mode dans l'Hérault; les juges du tribunal avaient de même tous pris dans le nouveau calendrier des appellations « analogues aux circonstances » : ils se nommaient Salsifis Gas, Tournesol Escudier, Raisin Peyral, Betterave Devic; le greffier s'était baptisé Junius Brutus, ce qui relevait un peu son nom patronymique : Jeanjean.

Par cette modification, Pons marquait l'intransigeance de ses opinions tyrannicides; de fait, il avait la tête chaude sous son bonnet rouge et ne permettait pas qu'on plaisantât avec les principes. Membre influent du club de sa ville natale, il est désigné par ses conci-

toyens pour conduire un bataillon de volontaires au
siège de Toulon occupé par les Anglais; il se lie avec
Robespierre le jeune, l'un des Conventionnels chargés
de diriger les opérations de l'investissement, et celui-ci,
appréciant la faconde révolutionnaire du jeune Pons, le
désigne souvent pour exalter le patriotisme fléchissant
des sociétés populaires de la région du Var. Mais Pons
préfère combattre pour la République, car il est brave,
et il obtient du général Dugommier le commandement
de la garnison de Bandol que menace la flotte ennemie.
Il se signale là par un trait de courage, non point en
luttant contre les étrangers, mais, ce qui est bien plus
héroïque, en arrachant à la mort trente-deux habitants
de la bourgade que le comité révolutionaire local envoie
à l'échafaud. Il entre, le second, dans Toulon conquis,
sous la mitraille, tandis que brûle en rade la flotte
abandonnée; il rencontre là le jeune général Bonaparte
qu'il invite à dîner et auquel il fait manger sa première bouillabaisse. Puis Pons retourne à Cette, est
nommé président de la société populaire, prononce des
discours variés sur l'abolition de l'esclavage et autres
sujets d'actualité, est dépêché par ces concitoyens à
Paris pour assurer la Convention de la pureté des principes professés par les patriotes de l'Hérault; après
Thermidor, il reste fougueux jacobin; la réaction le fait
emprisonner comme tel; il attaque le Directoire qu'il
méprise; Barras essaie de l'acheter. Pons repousse ces
offres avec dédain et se brouille avec le pouvoir. Au
18 brumaire, il s'indigne et ne pardonne pas à son
ancien camarade du siège de Toulon d'avoir « mis la
force à la place de la loi ». Dégoûté de la politique,
comprenant qu'elle met en danger son honnêteté et la
franchise de ses convictions, il se refuse à servir le gou-

vernement consulaire et renonce pour toujours à s'occuper des affaires publiques. Afin de s'interdire tout retour sur cette détermination, il se marie et jure à sa femme qu'il n'acceptera jamais un emploi dans les armées de terre ou de mer. Ses amis obtinrent pour lui, en 1809, le poste d'administrateur des mines de fer de l'île d'Elbe dont le revenu était attribué à l'ordre de la Légion d'honneur. Pons accepte cette place qui lui laisse toute indépendance et s'embarque pour Porto-Ferrajo, emmenant sa femme et ses deux petites filles, élevées déjà dans la haine des tyrans et le culte de la liberté.

Ce brave homme fit merveille à l'île d'Elbe. Les mines étaient presque abandonnées, il les remit en exploitation; il édicta des règlements assurant aux ouvriers l'aisance et le bien-être; il construisit pour eux des habitations saines, leur donna l'exemple du travail, partagea leur nourriture, s'intéressa à leur famille. Au bout d'un an, ce pur républicain, que n'avaient entamé ni la réaction thermidorienne, ni les avances du Directoire, ce jacobin impénitent, qui n'avait mis à profit ni ses relations avec les Robespierre pas plus que celles avec Bonaparte, était désigné, d'un bout à l'autre de la petite île où il vivait en sage, sous le sobriquet de *il nostro babbo* (notre papa). Pas une faiblesse n'entachait son passé; ayant juré d'être intransigeant, il avait tenu stoïquement son serment, et son bonheur actuel lui semblait être la récompense de cette rarissime obstination. Il possédait maison de ville à Porto-Ferrajo, maison de campagne à Rio-Marina, près des mines, et il vivait heureux, honoré, adoré même, sans maître, sans souci de l'avenir, sans ambition, quand il apprit

tout à coup un jour de mai 1814, que Napoléon,
déchu de la dignité impériale, était nommé roi de
l'île d'Elbe. Le navire qui le portait entrait déjà en
rade.

Pons était sûr de soi; il savait bien qu'aucune puissance humaine ne parviendrait à le dévier du droit
chemin et à faire de lui un courtisan. Tout de même
il n'était pas sans inquiétude de savoir comment son
inflexible républicanisme serait jugé par le nouveau
souverain. Comme il était l'un des plus importants
fonctionnaires de l'île, il fut désigné, avec quatre autres,
pour aller, à bord, présenter l'hommage de bienvenue à
Napoléon. Ils montèrent en canot, abordèrent la frégate
anglaise où on les introduisit dans la grande chambre.
L'Empereur parut aussitôt. Les Elbois, très émus, serrés
les uns contre les autres, ne parvinrent qu'à balbutier
quelques mots. Napoléon parla seul. Il parla avec tant
de clarté et de précision qu'il semblait avoir préparé
son discours. Puis il adressa quelques mots à chacun des
visiteurs : Pons fut le moins bien partagé. L'Empereur
lui demanda seulement quelles étaient ses fonctions.
Aux souvenirs de Toulon, pas une allusion; de la
bouillabaisse de Bandol, pas un mot; et l'incorrigible
démocrate n'était pas éloigné d'attribuer ce manque de
mémoire à la proverbiale ingratitude des grands de la
terre. Il se réfugia chez lui, bien déterminé à ne se
présenter à la Cour que lorsqu'il y serait appelé pour
affaires; mais à minuit l'Empereur, qui après son entrée
solennelle à Porto-Ferrajo s'était logé provisoirement à
l'hôtel de ville, le fit appeler. Pons obéit, fut introduit
dans le salon de l'Empereur qui tout de suite l'inter-
rogea : « Pouvez-vous me donner à déjeuner demain à
Rio-Marina? — Oui. Sire. — A neuf heures du matin?

— Oui, Sire. — Dites-moi franchement si cela ne vous
sera pas un trop grand dérangement. — Cela ne me
dérangera pas du tout; seulement j'aurai besoin de l'indulgence de Votre Majesté car ma maison est abandonnée. — Mais Mme Pons?... Ne sera-ce pas abuser de
sa complaisance? Réfléchissez bien; pouvez-vous me recevoir sans trop la déranger? — Que Votre Majesté se
rassure : à neuf heures, Votre Majesté trouvera la table
servie. »

Pons et sa femme consacrèrent le reste de la nuit aux
préparatifs. A une heure du matin Pons courait à Rio-
Marina, ouvrait sa maison, réquisitionnait un jardinier
pour l'orner de fleurs, dressait la table, organisait de
son mieux une réception convenable. Le jour venu, il
fit habiller de blanc un groupe de jeunes filles, rangea
ses mineurs en haie le long de la route, leur apprit à
crier : « Vive l'Empereur! », mobilisa le curé en habits
sacerdotaux, convoqua le maire et les adjoints et quand
l'heure fut venue, se dirigea lui-même à cheval au-
devant de son hôte. Napoléon l'accueillit avec bien-
veillance et entra dans le village. Arrivé à la demeure
de Pons, toute fleurie, il s'arrêta et fronça le sourcil...
Horreur! Le jardinier, dans son ignorance du langage
politique des fleurs, avait disposé de chaque côté du
perron, deux superbes parterres de lis. « Me voilà logé
à belle enseigne! » fit Napoléon; et ses yeux se détour-
nèrent du maître de la maison. C'était la disgrâce. Un
instant plus tard le général Dalesme, qui faisait partie
de l'escorte impériale, s'approcha, très ému, de Pons,
renfrogné, et lui glissa que l'Empereur venait de
demander si ce monsieur « était toujours républicain ».
Le déjeuner commença. Napoléon n'adressait point la

parole à Pons; il affecta de s'informer auprès des autres
convives de la situation des mines. Il y avait là une intention marquée. Pons, que la colère étranglait, se décidait à quitter la table; Dalesme le retint. Au café, *le
tyran* paraissait mieux disposé. Il attira Pons dans l'embrasure d'une fenêtre et lui demanda « s'il voulait rester
avec lui ». Pons, se contenant, répondit « qu'il ne souhaitait rien d'autre que d'être utile à Sa Majesté ».
Sur quoi, Sa Majesté, d'un ton brusque, riposta : « Je
ne vous demande pas si vous pouvez m'être utile; je
vous demande si vous voulez continuer votre administration. Restez-vous, ou ne restez-vous pas? » Le pauvre
Pons, abasourdi, répliqua « qu'il ferait ce qu'on
voudrait ». Il sentait sa gaucherie et n'était point
expert en l'art de parler aux rois : il donnait à Napoléon tantôt du Monsieur le duc, tantôt du Monsieur le
comte, tantôt du Monsieur tout court. Et quand on
revint à Porto-Ferrajo, ayant quitté le cortège à l'entrée
de la ville pour rentrer chez lui, il apprit bientôt que
Napoléon avait vivement senti ce manquement à l'étiquette et grommelé : « Il ne s'est pas gêné pour s'en
aller! »

Tel fut le premier contact du républicain Pons avec
un despote couronné. Il gardait l'impression qu'il avait
déplu et, dans sa fierté démagogique, il s'en félicitait
presque. Il s'était persuadé qu'il allait perdre sa place;
mais il était résolu à ne pas courber l'échine pour la
conserver. Et c'est ainsi que s'engagea, entre l'irascible
souverain de l'île et l'indomptable directeur des mines,
un duel dont les reprises se succédaient presque sans
répit. D'abord ce fut une question d'argent : l'Empereur exigeait que Pons lui versât les revenus de son
exploitation. Pons soutint que ces fonds appartenaient

à la Légion d'honneur et qu'il ne pouvait en disposer sans un ordre du grand-chancelier. L'Empereur insista; Pons tint bon. « Je vous donne l'ordre de me remettre cet argent, dit Napoléon. — Je n'obéirai pas, répliqua Pons. — Je vous enverrai mes grenadiers. — Je les jetterai par la fenêtre. » La discussion se prolongea sur ce ton durant quatre mois. Pons envoya trois fois sa démission. Elle ne fut pas acceptée. Puis la querelle obliqua sur des farines avariées que la garnison refusait et dont l'Empereur prétendit qu'on fît du pain pour les mineurs. Pons déclara que ce qui était mauvais pour les soldats l'était également pour les ouvriers. L'Empereur s'emporta, jurant que ces farines étaient excellentes. Pons en fit boulanger un sac, prévint le médecin et le pharmacien, tenta l'essai sur lui-même et sur quelques hommes robustes qui furent indisposés, et il protesta qu'on le hacherait en menus morceaux avant de poursuivre l'expérience. Napoléon, excédé de ces résistances auxquelles il n'était pas accoutumé et de cette exaspérante « intégrité républicaine », entrait en fureur : « Monsieur, je suis toujours Empereur! criait-il. — Moi, Sire, je suis toujours Français », répondait Pons frémissant.

Cette lutte aboutit à un résultat imprévu : les adversaires furent vaincus tous les deux. Le tyran prenait goût à l'irréductible probité de son ombrageux sujet; celui-ci, qui n'avait jamais tremblé devant personne, se sentait tout petit devant ces colères olympiennes. Ils furent ainsi séduits l'un par l'autre. Napoléon avait bien rarement rencontré un serviteur préférant son devoir à sa fortune. Pons ne se doutait pas qu'il pût exister sur la terre un homme vraiment digne du pouvoir suprême. Il admirait la superbe dialectique, l'extraordinaire énergie de son antagoniste, que touchait, sans qu'il en montrât rien, la courageuse défense du fonctionnaire. Le plus grand s'inclina le premier; l'autre tomba à ses genoux, et c'est le plus frappant exemple de la miraculeuse fascination qu'exerça l'Empereur sur tous ceux qui l'approchaient. Pour en suivre les péripéties, il faut lire les deux volumes où l'administrateur de Rio-Marina a minutieusement, avec piété, décrit les étapes de sa conversion : *Mémoires de Pons de l'Hérault aux puissances alliées. — Souvenirs et anecdotes de l'île d'Elbe, par Pons de l'Hérault;* tous deux ont été publiés par M. Léon G. Pélissier, professeur d'Histoire à l'université de Montpellier, d'après les manuscrits originaux conservés à la bibliothèque de Carcassonne. C'est bien certainement ce qu'on peut rencontrer de plus saisissant et de plus complet sur cette etonnante royauté de l'île d'Elbe qui s'établissait, — pour durer dix mois — il y a plus d'un siècle.

On y verra comment l'ancien robespierriste ébloui, devenu le fidèle, l'intime, le dévot fervent du conquérant abattu, quitta femme et enfants pour suivre l'Empereur en France; il débarqua avec lui au golfe Juan, l'accompagna jalousement durant la traversée des Alpes, se fit emprisonner, pour son service, au château d'If, devint, dans les Cent-Jours, préfet du Rhône et, après Waterloo, réclama comme une faveur insigne, lui l'obstiné républicain, la gloire d'accompagner le proscrit à Sainte-Hélène. N'ayant pu l'obtenir, il ne consentit point à vivre dans la France veuve de son maître. Il s'exila volontairement, pour ne reparaître qu'en 1830. Louis-Philippe lui confia la préfecture du Jura; mais Pons apporta dans ses fonctions une indépendance qui cadrait mal avec les compromissions du régime parle-

mentaire. Au bout de quelques mois on le « mit à
pied ». Dix-huit ans plus tard un Bonaparte revenait;
mais ce n'était point le sien et il se refusa à le reconnaître; il ne voulut même pas échanger, contre la
rosette que lui offrait Napoléon III, son simple ruban
de la Légion d'honneur, « le ruban du golfe Juan », et
le *vieux père Pons* mourut en 1853, trop impérialiste
pour se rallier au second Empire, avec l'orgueilleuse
conscience de n'avoir, en toute sa vie, courbé le front
que devant un seul homme : du moins pouvait-il se
donner pour excuse que celui-là était le plus grand de
tous et qu'il avait vaincu le monde avant de le vaincre
lui-même.

DERNIÈRE IDYLLE

Ce qui est bien difficile à comprendre, c'est que les Français, possédant une si étonnante histoire, réservoir inépuisable de péripéties angoissantes, de délicieuses comédies, de types et de caractères d'une invraisemblable variété, et renouvelée à chacune de ses pages comme un feuilleton magistralement réussi, éprouvent encore le besoin d'entretenir des romanciers chargés de conter des fictions. Il n'est pas possible que l'imagination d'un poète, fût-ce du plus grand, ait jamais conçu scène comparable à celle dont fut le théâtre cette chambre qu'on montre à Fontainebleau, qu'habita l'Empereur, avec son lit doré qui paraît si petit, et ses tentures de velours vert brodé de roses. C'est là qu'une nuit du commencement d'avril 1814, il reçut — ou plutôt ne reçut pas, ainsi qu'on va le voir — la visite de la comtesse Walewska, celle qu'on appelait la « La Vallière de l'Empereur ».

On sait comment Napoléon l'avait rencontrée, au plus beau temps de sa gloire, en 1807, à Varsovie. Blonde avec des yeux bleus, la peau blanche, petite mais bien faite, tout ensemble mélancolique et rieuse, elle avait vingt ans, un mari de soixante-dix ans deux

fois veuf, et, du fait de ce mari, un *petit-fils* de neuf ans
plus âgé qu'elle. Entraînée, par un coup de passion
subite, vers le conquérant qui entrait en Pologne
comme un sauveur, elle résista quatre jours « ce qui fut
considéré comme un acte inouï ». Elle céda enfin, et
comme le vieux comte Walewski prisait peu l'honneur
du partage impérial, elle suivit son amant qui, loin de
se lasser, s'attachait à elle chaque jour davantage.

Depuis lors, elle ne l'avait guère quitté; après
Wagram, elle est à Vienne, et c'est là que vient au
monde l'enfant dont la naissance décida Napoléon au
divorce en lui prouvant qu'il était capable d'être père.
Le mariage avec Marie-Louise ne les avait pas séparés :
« l'escalier noir » des Tuileries s'ouvrait pour elle
quand l'Impératrice était retirée dans ses appartements.
La tendre comtesse avait donné à son amant une bague
d'or creuse, à secret, dans laquelle s'enroulait une
mèche de ses cheveux et où ces mots étaient gravés :
« Quand tu cesseras de m'aimer, n'oublie pas que je
t'aime. » Un joli bibelot pour la vitrine d'un collec-
tionneur, si cet anneau existe encore.

Aux jours de la débâcle, elle courut à Fontainebleau.
Il était environ dix heures du soir; tous les courtisans,
tous les serviteurs avaient abandonné le souverain
vaincu. La comtesse parvint jusqu'à la porte de la
chambre impériale et y trouva le valet de chambre
Constant qui, seul, veillait encore. Il entra prévenir
son maître; mais l'Empereur, plongé dans un marasme
insensible, ne parut pas l'entendre. Elle attendit. Au
bout de quelques instants, Constant était rentré sans
obtenir encore de réponse. A travers la cloison, on
entendait l'Empereur se lever et marcher. Dans le
morne silence du palais endormi, ses pas résonnaient

sourdement. Puis il s'arrêtait, sifflotait un air, et se parlait à lui-même. Elle demeura, espérant toujours qu'il allait la demander, envahie peu à peu par le froid de la nuit, immobile et grelottante dans son manteau, jusqu'à ce que l'aube eût commencé à blanchir les vitres. Bientôt le palais se réveillerait et les événements reprendraient leur marche foudroyante. Il n'y avait plus là, place pour elle, et elle partit sans avoir revu celui qui s'en allait...

Quand elle le sut à l'île d'Elbe et qu'on fut bien certain que Marie-Louise n'irait pas l'y rejoindre, la comtesse sollicita et obtint de lui l'autorisation de l'aller voir. Elle partit, emmenant son enfant, triomphante en son orgueil de femme : lorsque l'épouse légitime se dérobait à ses devoirs, elle se proclamait fidèle, et le dernier mot de l'amour lui restait.

Au cours d'un livre émouvant sur l'île d'Elbe, M. Paul Gruyer nous a conté cette entrevue. C'était le 1er ou le 2 septembre 1814. A la tombée de la nuit, un bâtiment franchit le goulet de Porto-Ferrajo et, au lieu de venir aborder à quai, se dirige vers le fond du golfe où il jette l'ancre devant San Giovanni. Sur le pont du bâtiment sont une dame et un enfant, accompagnés d'une autre femme et d'un grand monsieur à lunettes d'or, en uniforme. La dame s'enquiert de l'Empereur; le maréchal Bertrand survient et s'entretient avec elle, tête découverte. Aux écuries impériales, l'ordre a été donné d'atteler une calèche, de harnacher deux chevaux de selle et deux mulets. L'inconnue, sa compagne, le grand monsieur à lunettes et l'enfant prennent place dans la calèche que suivront les deux chevaux et les mulets, prêts à être montés quand on parviendra à l'endroit où cesse d'être carrossable la route de Marciana. C'est à ce village perdu dans la montagne qu'on a l'ordre de conduire la voyageuse.

Le lendemain, il n'était bruit, dans Porto-Ferrajo, que de ce mystérieux débarquement, et la nouvelle se répandait comme une traînée de poudre que Marie-Louise était arrivée. Les matelots du navire avaient parlé; ils avaient narré que durant la traversée, la dame, embarquée sur la côte d'Italie, appelait l'enfant tantôt « mon fils » et tantôt « le fils de l'Empereur ». D'où il était facile de déduire qu'elle était l'impératrice. Le palefrenier, les piqueurs et le cocher, qui avaient vécu aux Tuileries, affirmaient avoir reconnu la toilette de l'enfant — un petit costume militaire que portait souvent le roi de Rome. Enfin c'était la selle destinée à l'impératrice, disaient les gens de l'écurie, que le sellier Vincent avait fournie pour le cheval de l'inconnue; sa compagne était une dame d'honneur sans doute, et le grand monsieur à lunettes d'or le prince Eugène de Beauharnais. L'île était dans l'enthousiasme.

Or, c'était la comtesse Walewska, qu'accompagnaient sa sœur et son frère. Ce ne fut pas sans irritation que Napoléon apprit l'erreur dont elle était cause. Il avait désiré cacher ce voyage, et, rendu plus susceptible par le malheur, ce quiproquo qu'elle s'était amusée à nourrir pouvait sembler une raillerie de ses déboires conjugaux. Elle avait joué, surtout, avec ce qui était intangible : la majesté impériale. D'ailleurs, représentant de la morale publique, si difficile à maintenir dans un pays où ses soldats séduisaient toutes les filles, lui qui refusait l'entrée de sa maison aux faux ménages de ses officiers, il devait donner l'exemple d'une vie privée irréprochable; et c'est pourquoi la comtesse fut conduite, sans approcher de Porto-Ferrajo, à Marciana.

Son frère s'arrêta au village; elle, sa sœur et l'enfant, sous la garde d'un officier d'ordonnance, continuèrent leur route à cheval vers l'ermitage, qui se trouvait plus haut dans la montagne. L'Empereur vint, à mi-chemin, au-devant des deux femmes.

L'ermitage se compose d'une maisonnette basse et longue qui comporte quatre chambres, et d'une petite chapelle. Devant le porche, dans un hémicycle de pierre rongé par les lichens et garni de bancs, quatre fontaines jaillissent, emplissant de leur glouglou régulier des vasques sculptées. De cette hauteur, on contemple toute l'île; une forêt de châtaigniers s'enfonce vers la mer en dévalements formidables; des milliards de fleurs tapissent le sol, et, à l'horizon, on aperçoit la Corse, semblable à quelque Léviathan gigantesque dormant sur les flots. Napoléon, qui séjournait là quelquefois et qui rêvait d'y bâtir un palais merveilleux, avait fait dresser sa tente auprès de la chapelle. Il prit, pour les dames et l'enfant, la maisonnette de l'ermite qui alla loger dans son étable; deux ou trois tentes furent plantées sous les châtaigniers pour deux officiers d'ordonnance et pour quelques valets.

Dès l'abord, la comtesse reprocha à l'Empereur de l'avoir repoussée à Fontainebleau, d'avoir refusé la consolation de sa tendresse; il lui répondit, en passant la main sur son front : « J'avais tant de choses là! »

Ils restèrent deux jours sous la tente, bercés par la brise, entre les murs de toile, et par la lointaine rumeur de la mer. Il lui montrait au loin la Corse, sa patrie à lui, où elle aurait voulu aller. Ils jouaient avec l'enfant, dont la sœur de Mme Walewska prenait soin : elle le leur amenait de la maisonnette de l'ermite où, tous quatre, ils couchèrent le soir. L'Empereur s'était mis

« en grande quarantaine », et, durant ces deux jours, ne reçut personne.

Le soir du second jour, il lui déclara qu'il fallait se séparer, et ce qu'il avait décidé ne souffrait ni discussion ni retard; le navire qui devait la remmener était à l'ancre en bas de la montagne. Car il ne fallait pas qu'elle se rembarquât à Porto-Ferrajo, où des manifestations étaient annoncées « en faveur de l'impératrice ». Il la reconduirait à moitié chemin, et l'officier d'ordonnance qui l'avait amenée l'escorterait jusqu'à la plage. Les chevaux étaient sellés. Comme pour assombrir cet adieu, la nature sembla se bouleverser : une lourde chaleur pesait dans l'air; l'île disparaissait dans une brume de plomb, des paquets de vent secouaient la tente impériale. L'ouragan se préparait. Dans les tourbillons qui ébouriffaient leurs cheveux et faisaient voler leurs vêtements, dans le sifflement des rafales sur l'herbe rase, l'Empereur et la Walewska se séparèrent. Il tourna bride et remonta rapidement jusqu'à l'ermitage. Elle continua de descendre vers la mer.

Son frère et le navire l'attendaient à Marciana : dans ce port sans abri, l'embarquement était impraticable. L'Empereur ayant interdit Porto-Ferrajo, il fallait gagner Porto-Longone, à l'autre bout de l'île, le navire en la contournant, la comtesse et sa suite en traversant la montagne. Ce que dut être la chevauchée de cette femme et de cet enfant, la nuit, pendant vingt-sept kilomètres, par des crêtes et des ravins que balayait la tempête, on se le figure à peine. Elle parvient à Porto-Longone et y retrouve le navire. Mais les autorités du port lui montrent la mer démontée et refusent de la laisser partir. Elle s'obstine : c'est l'ordre de l'Empereur. On n'osa pas désobéir et se montrer moins brave qu'une femme. Elle embarqua dans une petite anse voisine, à Mola, et le navire, repoussé par les flots, affronta la destinée.

Tout est beau dans cette scène, dont les éléments et la tradition ont été recueillis sur place; tout est d'une formidable grandeur : la qualité des personnages, la gloire de l'un, l'amour de l'autre, le décor, la tente du héros dressée sur les fleurs, la mer lointaine, enlaçante, la Corse en vue, la tempête soulevée. Il semble que pour rendre complète l'impression de ces choses solennelles, les mots servent mal; il y faudrait le génie d'un Beethoven et la puissance des mille voix de son orchestre.

DEUX RELAIS DE NAPOLÉON

Alors qu'Alexandre Dumas était enfant, il habitait
Villers-Cotterets.

Un jour de juin 1815 — le futur auteur des *Mous-
quetaires* avait alors treize ans — le bruit circula
par la ville que l'Empereur allait passer, se dirigeant
vers la frontière du Nord, où se concentrait son armée.
Le petit Dumas courut à la poste aux chevaux. La
scène à laquelle il assista le frappa si vivement qu'il
la racontait, bien des années plus tard, d'une façon saisissante. La berline impériale arriva. Tandis que les
palefreniers s'empressaient à changer les chevaux, on
vit paraître à la portière le visage grave de Napoléon.
L'Empereur tenait entre ses doigts une prise de tabac
qu'il s'apprêtait à humer.

« Où sommes-nous? demanda-t-il.

— A Villers-Cotterets, Sire, répondit un écuyer.

— A combien de lieues de Paris?

— A vingt lieues, Sire.

— A combien de lieues de Soissons?

— A six lieues, Sire.

— Faites vite. »

Et Napoléon, respirant sa prise, se renfonça dans la berline.

Huit jours plus tard, l'Empereur, revenant vers Paris, s'arrêta de nouveau à la poste de Villers-Cotterets. Alexandre Dumas était encore là. Napoléon se pencha vers l'écuyer qui présidait au relais :

« Où sommes-nous?

— A Villers-Cotterets, Sire.

— A combien de lieues de Soissons?

— A six lieues, Sire.

— A combien de lieues de Paris?

— A vingt lieues, Sire.

— Faites vite. »

Le profil du César s'effaça. Entre ces deux apparitions, un monde, à Waterloo, s'était écroulé.

Un érudit habitant de Laon, M. Jean Marquiset, s'est appliqué à reconstituer, d'après les archives et les traditions locales, les circonstances du passage, au chef-lieu de l'Aisne, de l'Empereur parvenu à ce suprême chapitre de son épopée. Laon, il faut le rappeler, est bâti au sommet d'un roc isolé, haut de cent mètres, dominant une immense étendue de pays plat couvert de champs et de bois. Une route pavée, montante et sinueuse, conduit de la plaine au cœur de la ville. Mais le relais de poste était installé au bas de la côte, afin d'éviter aux voyageurs de passage, que rien n'appelait à Laon, l'ascension de *la Montagne*.

Le 11 juin 1815, un fourrier du palais arrivait en ville et avisait la municipalité que l'Empereur passerait le lendemain et coucherait à la préfecture. Le lundi 12, les conseillers municipaux se réunirent de bon matin à la mairie, et vers neuf heures, escortés de la garde nationale et des pompiers, se mirent en chemin; ils se

postèrent à Semilly, où commençait la montée. On avait
dressé là un arc de triomphe; les gardes nationaux formèrent les faisceaux, et l'on attendit.

On attendit longtemps, car les courriers qui précé-
daient l'Empereur ne furent là que vers trois heures de
l'après-midi. Les tambours se mirent à battre, et presque
aussitôt la voiture impériale parut. Elle était suivie de
deux autres. En l'absence du maire, le premier adjoint
prononça un discours. La foule immense, qui, sortie de
Laon ou venue des environs, couvrait les champs et
s'étageait aux escarpements de la Montagne, poussa les
cris de « Vive l'Empereur! Vive la patrie! » Puis les
voitures s'engagèrent sur la route montante, encadrées
d'une double haie formée par les pompiers et les gardes
nationaux.

A la préfecture, réception des autorités, toute cordiale
et sans aucune étiquette. L'Empereur y mit fin en annonçant qu'il allait visiter les fortifications. Il sortit, un piquet
de la garde nationale l'accompagnait, et la foule se
bousculait pour voir le grand homme. Il paraissait
soucieux, absorbé; pourtant, pressé par les curieux qui
devenaient familiers, il répondait à tous ceux qui lui
adressaient la parole. Sa tournée faite, il rentra à la
préfecture, soupa, dicta trois lettres et se coucha.

A trois heures du matin les adjoints — ils étaient
sans doute fourbus — se présentèrent pour lui offrir
leurs vœux et leurs hommages. Une heure plus tard,
l'Empereur montait en voiture et prenait la route
d'Avesnes, où il devait arriver dans la journée et passer
la nuit.

Huit jours après, le mardi 20 juin, vers six heures du
matin, des Laonnais prenant le frais sur le rempart

Saint-Remy, virent sur la route de Marle, qui se dé-
roule en ligne droite dans la plaine, une troupe en
désordre s'avançant vers la ville. Dans le faubourg de
Vaux, au pied de la Montagne, l'éveil fut vite donné
et les habitants coururent à la rencontre des arrivants.
C'était une débandade d'officiers et de soldats, fantassins désarmés, cavaliers démontés; leurs uniformes
étaient en lambeaux, maculés de boue et de sang.
Presque tous blessés, exténués de fatigue, mourant de
faim, avaient l'air abattus et la mine consternée. On les
entoura, on les pressa de questions. On ne put tirer
d'eux qu'une réponse :

« Tout est perdu; l'armée a été détruite aux environs
de Bruxelles. »

Dans l'après-midi, d'autres bandes, en aussi piteux
état, suivirent, confirmant la nouvelle; les hommes
s'entassaient au faubourg de Vaux, sans aller plus loin,
trop fatigués pour tenter l'ascension de la Montagne.
C'est dans ce faubourg qu'était la maison de poste,
située dans l'angle formé par la rencontre de la route de
Reims et de la route de Marle. Peu après six heures du
soir, un officier de dragons s'y présenta, mit pied à terre, et
appelant le maître de poste Lecat, lui annonça l'Empereur. Quelques instants plus tard, une voiture en
mauvais état qu'escortaient cinq ou six cavaliers, s'arrêtait devant la maison. Napoléon en descendit; comme
la porte charretière était fermée, il se dirigea vers celle
du logement de Lecat; les curieux s'étaient attroupés.
L'un d'eux s'approcha du héros vaincu et lui dit « très
brusquement » : « Vos soldats se sauvent! » L'Empereur détourna la tête sans dire mot.

Le court séjour qu'il fit ce soir-là, à Laon, n'est
point passé inaperçu des historiens; mais les détails

recueillis par le chroniqueur local sont très pittoresques et valent d'être rapportés : ce sont des croquis, pris, en quelque sorte, d'après nature, où se retrouvent les minuties qui ne peuvent prendre place dans les grands tableaux.

Deux mauvaises voitures arrivèrent peu après celle de Napoléon : elles amenaient le duc de Bassano, Bertrand, Drouot et ses aides de camp. La suite de l'Empereur se trouva ainsi composée d'une douzaine de personnes, auxquelles se joignirent plus tard Jérôme Bonaparte et trois ou quatre généraux.

La grande porte de la maison de poste avait été ouverte, découvrant une vaste cour de ferme, dans laquelle les badauds, massés sur la route, apercevaient l'Empereur, marchant de long en large, silencieusement, la tête baissée, l'air morne, les bras croisés sur la poitrine. Comme les écuries ouvraient sur la cour, le pavé de celle-ci était jonché de paille où traînaient les pas de Napoléon. Une voix dit :

« C'est Job sur son fumier. »

On le vit tout à coup interrompre sa promenade. Il demanda à boire. Une femme parut, portant un verre de vin, qu'il refusa. On lui présenta un verre d'eau. Il le porta à ses lèvres; et à ce moment, on entendit dans la foule quelques cris de « Vive l'Empereur! » Mais son accablement et sa tristesse étaient si impressionnants que les acclamations furent faibles, timides, presque étouffées et restèrent isolées. Quand il eut fini de boire, il salua en soulevant son chapeau. A quelqu'un qui osa émettre l'opinion que « la défaite était probablement due à la trahison », il répondit :

« Non, c'est la force des circonstances! »

Un conseil fut tenu dans cette maison de poste.

Napoléon ne prenait aucune décision; il répondait laconiquement aux différents projets qui lui étaient soumis,
et retombait dans sa rêverie. Les gens massés aux portes
s'épuisaient en conjectures sur les causes de cette
longue station, dans un lieu si peu convenable. Ils
avertissaient les soldats, dont le passage ne cessait pas,
que l'Empereur était là; mais les soldats détournaient
la tête et ne s'arrêtaient pas. Pourtant dans la cohue
des fuyards, survint un officier général, que suivaient
quelques domestiques.

« C'est le maréchal Ney! cria-t-on. C'est le maréchal
Ney! L'Empereur est là. N'entrez-vous pas le voir? »

Le maréchal sembla très ému. Il fit halte et pénétra
dans la maison de poste; après quelques instants, on
l'en vit ressortir, plus calme, le visage rasséréné.

Vers dix heures du soir enfin, Napoléon se décida
à quitter la maison Lecat. Il monta dans une voiture
empruntée à un habitant de Laon, traversa la ville en
rumeur, et partit par la route de Paris. Il arrivait à
l'Elysée à huit heures du matin. Le lendemain, il ab-
diquait.

LE MOT DE CAMBRONNE

LE 18 juin 1815, à la fin de la grande bataille, vers huit heures et demie du soir, comme l'armée française, rompue, disloquée, se retirait en déroute vers Charleroi, trois bataillons de la Vieille Garde, commandés par les généraux Christiani, Cambronne et Roguet, formés en carrés près de La Haye-Sainte, la droite appuyée à la route de Bruxelles, résistaient au torrent ennemi. Poussés, déchiquetés, mordus de toutes parts par les lanciers de Brunswick, les dragons et l'infanterie, ils reculaient lentement vers Belle-Alliance, « littéralement entourés, a dit Henry Houssaye, comme à l'hallali courant le sanglier parmi la meute ». Au milieu du 2ᵉ bataillon du 1ᵉʳ chasseurs, Cambronne, à cheval, la figure en sueur, les habits lacérés, noirs de poudre, voyait fondre autour de lui ses hommes dans la mêlée, et comme les ennemis renouvelaient leurs sommations, la rage au cœur, il répondit...

Au fait, que répondit-il? C'est le problème auquel on a déjà consacré nombre d'enquêtes, aussi érudites et bien ordonnées que décevantes en leurs résultats. Ah! qu'Empédocle avait raison quand il disait, il y a déjà

bien des siècles : « Toutes choses nous sont occultes;
il n'en est aucune de laquelle nous puissions établir
ce qu'elle est. »

Le désastre de Waterloo ne fut connu à Paris que
le 21. Dans l'après-midi, le *Moniteur* publia un sup-
plément avec un récit de la bataille : pas une allusion
à la fameuse phrase; dans les gazettes du 22 et du 23,
même silence; mais le 24, le *Journal général de France*
publiait, en « écho », cette note :

Parmi les fait qui honorent la mémorable et cruelle bataille de Mont-Saint-Jean, on cite le dévouement sublime
de la malheureuse Garde impériale... Les généraux anglais,
pénétrés d'admiration pour la valeur de ces braves, ont
députés vers eux pour les engager à se rendre... Le général
Cambronne a répondu à ce message par ces mots : *La Garde
impériale meurt et ne se rend pas!*

La phrase arrivait-elle apportée toute fraîche à Paris
par un témoin de Waterloo? Non, très probablement;
elle était éclose dans une salle de rédaction et due,
vraisemblablement, à l'imagination de Rougemont.
L'apostrophe avait belle allure, d'autres feuilles la
reproduisirent et, le 28 juin, à la Chambre, comme
Garat proposait de recueillir « les beaux traits des
soldats vaincus à la fatale journée, particulièrement
celui d'un héros qui dit : « *On meurt et on ne se rend
pas* », de sa place, le député Pénières — un ancien
conventionnel — s'écria : « Le nom de l'officier qui a
prononcé ces paroles ne doit pas être ignoré : c'est le
brave Cambronne! » Et c'est ainsi que la phrase, à la
suite de cette reconnaissance effective, entra dans l'histoire officielle. Depuis lors, la plupart des historiens et
des biographes, se copiant, se pillant à l'envi, conti-

nuèrent sans contrôle à désigner Cambronne comme l'auteur de la fameuse riposte.

Pourtant il y eut des protestations : en 1818, la question ayant été soulevée à l'occasion d'une tragédie de Jouy, *Bélisaire*, le *Journal des Débats*, organe royaliste, entra dans la lice : le 16 décembre, dans un article signé d'un V, il disait :

... Nous nous faisons un devoir de déclarer que tout Paris a pu savoir de la bouche du général Cambronne lui-même qu'il avait appris cette exclamation monumentale par la gazette et qu'il ne se souvenait nullement d'avoir rien dit qui s'en approchât. Il est donc juste d'en restituer la gloire à qui elle appartient, c'est-à-dire à un rédacteur du *Journal général* qui l'a proférée trois jours après l'affaire, à la tête d'une des colonnes... de ce journal, auquel le sobriquet de *Journal militaire* en est resté.

Et le lendemain, le *Journal général* répliquait par un semblant d'aveu : « L'héroïsme de cette parole, écrivait-il, n'est certes pas dans l'articulation des syllabes dont elle se compose, mais dans le sentiment qu'elle exprime et dans l'action qu'elle accompagna. » La discussion continua pendant quelques jours, puis on s'en lassa. Cependant Cambronne — un homme admirable de loyauté, de franchise et de délicatesse — ne laissait passer aucune occasion de décliner l'honneur qui lui était fait. Etait-ce respect de la vérité, était-ce modestie? Au préfet de la Loire-Inférieure, Maurice Duval, il attesta que « ces paroles héroïques ne lui appartenaient pas plus qu'à la Garde impériale, qui tout entière les a scellées de son sang ». Au colonel Magnant, il affirma « ne les avoir point prononcées ni entendues; que sûrement elles avaient été dites par un de ses camarades;

qu'il voudrait le connaître pour lui faire rendre l'honneur qu'elles devraient lui mériter ».

Ce camarade n'était-il pas le général Michel, qui fut tué aux côtés de Cambronne? Il semble bien que c'est à lui que Napoléon attribuait la noble riposte; mais l'Empereur n'était pas là, et sans doute fut-il incomplètement informé des incidents qui suivirent l'heure où il quitta le champ de bataille.

Quoi qu'il en soit, Cambronne n'a pas jeté aux Anglais la cornélienne réplique, cela paraît certain; pourtant bien des gens l'ont entendue! Expliquez cela. En 1862, un vieux brave, Antoine Deleau, ancien grenadier de la Vieille Garde, 2e régiment, devenu adjoint au maire de la commune de Vicq, dans le département du Nord, comparut solennellement devant le maréchal de Mac-Mahon, à son quartier général de Lille, et en présence du préfet du Nord, d'un général de division et d'un colonel d'état-major, il déclara :

J'étais à Waterloo, dans le carré de la Garde, au premier rang, en raison de ma grande taille... L'artillerie anglaise nous foudroyait et nous répondions à chaque décharge par une fusillade de moins en moins nourrie. Entre deux décharges, le général anglais nous cria : « Grenadiers, rendez-vous! » Le général Cambronne répondit (je l'ai parfaitement entendu, ainsi que tous mes camarades) : « La Garde meurt et ne se rend pas ». — « Feu! » dit immédiatement le général anglais. Nous serrâmes le carré et nous ripostâmes avec nos fusils. — « Grenadiers, rendez-vous, vous serez traités comme les premiers soldats du monde! » reprit d'une voix affectée le général anglais. — « La Garde meurt et ne se rend pas! » répondit encore Cambronne, et sur toute la ligne, les officiers et les soldats répétèrent avec lui : « La Garde meurt et ne se rend pas! » Je me souviens parfaitement de l'avoir dit comme les autres. Nous essuyâmes une nouvelle décharge et nous y répondîmes par la nôtre. « Rendez-vous, grenadiers, rendez-vous! » crièrent en masse les Anglais qui nous enveloppaient de tous côtés; Cambronne répondit à cette dernière sommation par un geste de colère accompagné de paroles que je n'entendis plus, atteint à ce moment d'un boulet qui m'enleva mon bonnet à poil et me renversa sur un tas de cadavres...

Cette déclaration si précise fut signée du vieux soldat et de toutes les autorités présentes; la même année, un autre *grognard* écrivait au *Monde Illustré* cette lettre d'une forme plus énergique que correcte :

... Tout les soldats sur-vivant de Waterlo savent bien que sait lillustre général Cambronne, comte Michel (*sic*), qui a dit la frase de la Garde, et il n'y a pas à dire, mon bel ami! Quand on écrit pour les journaux il faudrait savoir son histoire, ou la demandé à ceux qui la savent. — Jean Bauldu, ancien de l'ancienne, aujourd'hui concierge rue du Chemin-Vert, nº 54.

Cette pittoresque déclaration n'est pas, il est vrai, décisive; mais elle enchâsse un si précieux conseil qu'elle mérite, elle aussi, d'être conservée. En 1877, un survivant du dernier carré, Louis Mellet, ancien chirurgien du 61e de ligne, existait encore à Angers; ses souvenirs étaient également très nets : « J'étais là, j'atteste que le propos a été dit et répété par les restes de la Vieille Garde, par la Jeune Garde et par tous les soldats présents. Je criai avec tous les autres : « Vive Cambronne! La garde meurt et ne se rend pas! »
Qui croire? Cambronne qui nie ou les témoins qui affirment? Je sais bien qu'il y a une échappatoire et que le mot du héros passe auprès de l'immense majorité des gens pour avoir été beaucoup plus court et

beaucoup plus énergique que la phrase de Rougemont.
Eh bien, ceci encore est une légende, et bien postérieure
à l'autre. On voit naître la *phrase* dès le surlendemain
de la bataille; le *mot* ne commence à poindre timidement que vers 1830. C'était au café des Variétés, alors
tenu par un certain Dehodenc qui avait su y attirer
une clientèle d'artistes et d'écrivains. Un jour, devant
Charles Nodier, on y discutait l'authenticité de la réplique du général de la Vieille Garde, et quelqu'un
insinua :

« Peut-être a-t-on répondu un mot moins apprêté,
mais toujours est-il que Cambronne a dû dire quelque
chose d'approchant.

— Vous ne savez rien! s'écria Genty, — un nouvel-
liste d'assez mauvais ton. Je sais le mot vrai, moi!
Voulez-vous que je vous le dise... Il leur a répondu... »

Il y en eut qui estimèrent cela charmant; on applau-
dit Genty. Charles Nodier se contenta de sourire;
d'autres étaient indignés. Le mot toutefois était tombé
en bonne terre; il est devenu grand, et Victor Hugo lui
fit, dans *Les Misérables*, une auréole. Cambronne, s'il
eût vécu, en eût été bien marri. Il avait épousé, en
1810, une Anglaise, une Anglaise âgée de quarante-sept
ans, c'est-à-dire doublement pudibonde, et sa femme lui
avait probablement inculqué la continence de sa langue
maternelle, dans laquelle ce mot impur *le ventre* est
appelé *the stomach*. Pour conclure, il paraît établi,
d'après la pittoresque étude de M. Marquiset, que
Cambronne riposta à l'ennemi par un cri qui, sans
doute, se perdit dans le bruit des fusillades et des cla-
meurs; que ce cri, Rougemont et Genty l'ont transmis
à la postérité en l'interprétant chacun à sa manière :
Rougemont, auteur d'un certain talent, donna une tra-

duction noble, mais fantaisiste; Genty, bohème de
lettres, en donna une courte, mais vraisemblable. A
Waterloo, c'est sûr, la phrase bouillonnait dans les
cœurs et le mot crépitait dans les airs, et c'est pourquoi
la légende, sur ce point spécial, a si vite et si complètement usurpé la place de l'histoire.

NAPOLÉON VENDU AUX ANGLAIS

Le baron Denon avait, paraît-il, coutume de répéter à ses collaborateurs que le premier devoir d'un conservateur de musée est de considérer « comme son propre bien » les collections confiées à sa garde.

Cette profession de foi d'un honnête homme s'est depuis lors pieusement transmise et sans contresens, chez les fonctionnaires chargés d'augmenter notre patrimoine artistique; aujourd'hui seulement, on s'aperçoit que le mot prêtait à l'amphibologie et que du meilleur conseil suivi à la lettre résultent des effets désastreux. L'exception est unique sans doute; maintes fois nos conservateurs de musées ont poussé jusqu'à l'héroïsme le zèle administratif et bon nombre d'entre eux ont passé par de rudes épreuves. Je sais un dossier d'archives plein d'éloquence; il date de la seconde Restauration. Dès la rentrée des Bourbons, les commissaires des puissances étrangères s'avisèrent que notre Louvre s'enrichissait indiscrètement depuis vingt ans du fruit de nos conquêtes et qu'il se faisait temps de réintégrer à Vienne, à Brunswick ou à Munich les chefs-d'œuvre que les armées victorieuses de la République et

de l'Empereur avaient apportés à Paris dans leurs bagages.

Ces commissaires, choisis avec intelligence, étaient
connaisseurs et s'étaient munis d'avance de la liste des
tableaux, bronzes, marbres et objets d'art qu'ils étaient
chargés de réclamer. Le comte de Pradel, directeur général du ministère de la maison du roi, et le comte de
Forbin, directeur général des musées royaux, tentèrent
bien une timide résistance; ils prétendirent ignorer la
provenance des objets d'art confiés à leur responsabilité;
ils alléguèrent l'excuse de leur nouveauté dans le service et l'obligation de remettre à leurs successeurs les
collections dans l'état où ils les avaient reçues; mais
les *alliés* n'étaient pas gens à se contenter de ces fa-
daises : en leurs qualités d'alliés, ils agissaient comme
chez eux; ils avaient conquis Paris et ne se souciaient
pas de reconduire vides ces fameux fourgons qui leur
avaient servi « à ramener les Bourbons ».

Il semble que le pillage commença à Compiègne.
Le 18 juillet 1815, Pradel fut avisé par un gardien
accouru en émoi que les officiers supérieurs saxons logés
au château emballaient cinq tableaux qu'ils croyaient
bien reconnaître pour appartenir à leur souverain. Il
fit atteler sa chaise et partit aussitôt pour Compiègne.
Il n'y était pas depuis une heure qu'une estafette lui
apportait la nouvelle que des Prussiens casernés à Saint-
Cloud décrochaient un Rembrandt et faisaient main
basse sur les portraits de Napoléon et des membres de
la famille impériale. De ceux-ci, il n'y avait rien à dire :
c'était, vu l'époque, un débarras; mais le Rembrandt!
Vite Pradel se fit conduire à Saint-Cloud. Le château
était la proie des étrangers; les serviteurs avaient été
licenciés; pas un gardien, pas un surveillant. Il réclama

le secours des gendarmes, il n'y avait pas de gendarmes. Comme on suspectait leur opinion politique, on les avait tous expédiés sur la Loire, à la suite de l'armée impériale. Le malheureux directeur de la maison du roi fut réduit à armer les gardes forestiers du parc, qu'il installa dans le château en leur commandant d'y soutenir au besoin un siège, si les prétentions des vainqueurs se manifestaient de nouveau. Un peu tranquillisé, il rentra à Paris.

Mais là, les commissaires l'attendaient : il fallut bien leur ouvrir la porte du musée, et tout de suite, ils firent leur choix. La cour du Louvre était encombrée de fourgons où venaient s'entasser les toiles des maîtres et les marbres antiques. On procédait à l'aveuglette; on proposait des échanges. « Passez-moi ce Murillo, je vous cède ce Titien. — Je laisse ce Van Ostade et j'emporte ces deux Lancret... » D'un bout à l'autre de la galerie, on marchandait, on clouait des caisses; les conservateurs affolés perdaient la tête; quelques-uns pleuraient; d'autres s'indignèrent. Le 30 septembre, M. L. Casta, commissaire de S. M. le roi de Sardaigne, est surpris arrondissant sa pacotille de deux tableaux jadis régulièrement achetés et payés par le musée. Les gardiens s'opposent à la sortie des colis, exigent un ordre, préviennent leurs chefs. Casta se retire en maugréant; une heure plus tard, il reparaît, accompagné d'un aide de camp du gouverneur prussien de Paris, le général Muffling. L'Allemand tempête, menace, parle d'enfoncer les portes et d'appeler une compagnie de ses soldats : « Il fera arrêter et conduire à la grand-garde tous les administrateurs... » Il fallut céder. On obtint à grand-peine de remettre au lendemain l'examen des tableaux en litige.

En apprenant que « leurs amis les ennemis » ne se gênaient pas, les émigrés rentrés suivirent l'exemple : à tous le séquestre ou la confiscation révolutionnaire avaient pris quelque chose, et les revendications affluèrent. L'un réclamait les portraits de ses ancêtres, ou à défaut, des tapisseries pour garnir les murs de son hôtel; l'autre se plaignait de la disparition d'un service en porcelaine de Chine; à celui-ci on avait volé un lustre; celui-là retrouvait sa maison vide et sollicitait un mobilier d'art; on devait à ces quémandeurs montrer mine aimable et visage compatissant, car tous étaient chaudement appuyés et se recommandaient des plus influents personnages. Le duc d'Orléans fut discret : il se contenta d'abord de réclamer un tableau de l'ancienne galerie de son père, le *Martyre de sainte Félicité*, par Giroust « dont les figures étaient des portraits des ducs de Chartres et de Montpensier, du comte de Beaujolais et de Mlle d'Orléans ».

Aux Tuileries mêmes, les prétentions étaient d'un autre ordre : il fallait, au plus vite, nettoyer le château des effigies de l'usurpateur qui le profanaient. Dès 1814, on avait déménagé en hâte tous les portraits de *Buonaparte* et tous les tableaux rappelant ses victoires; on les avait remplacés par des toiles ou des tapisseries apportées de Versailles, ou plus rapidement encore par du papier uni ou du velours tendu sur châssis; même on avait descendu, à grands frais, le plafond de la salle du Conseil d'Etat, dont les allégories choquaient les yeux royalistes. Ce labeur était terminé dans les derniers jours de février 1815. L'Empereur revint; vite, il fallut raccrocher les tableaux et remettre les batailles en place. Waterloo interrompit la besogne, et tout de suite on relégua au galetas les effigies impériales... Les tapissiers ne chômaient pas en 1815 et les emballeurs faisaient fortune.

Pourtant il existait au Louvre, dans une salle voisine des antiques, une statue de Napoléon difficile à escamoter; c'était un marbre colossal, de Canova, haut de deux mètres et demi et pesant sept mille kilogrammes. On avait bien eu l'idée de le vendre, mais à qui? Le grand Empereur était en baisse, même chez les brocanteurs; d'ailleurs la pièce était d'un tel volume, et si connue, qu'on ne pouvait espérer s'en défaire discrètement. M. de Forbin eut un trait de génie : puisque les Anglais s'étaient chargés de débarrasser le monde de l'original, ils n'hésiteraient pas, sans doute, à débarrasser aussi le Louvre de son effigie. On tâta l'ambassadeur de S. M. Britannique, lequel consulta son gouvernement, et l'on tomba d'accord assez rapidement. L'Angleterre consentait à acheter, moyennant 66 000 francs, le marbre encombrant; la France se chargeait de tous les frais d'emballage et de transport, moins la prime d'assurance que les Anglais consentaient à payer; il était stipulé, en outre, que l'énorme statue serait adressée au marquis d'Osmond, ambassadeur de Louis XVIII à Londres, et débarqué comme marchandise française sur les quais de la Tamise, où, dès la livraison, on échangerait décharge et quittance.

L'affaire, ainsi conclue, ne fut pas ébruitée. On convoqua au Louvre un emballeur auquel on recommanda le secret; il prit ses mesures, établit un échafaudage et commença la construction de la caisse; une caisse immense, en cœur de chêne, qui devait peser, à elle seule, presque autant que le malencontreux bibelot. Ce fut une rude besogne : les travaux de charpente durèrent plus d'un mois; il ne fallut pas moins d'une semaine

pour y introduire l'usurpateur de marbre, qui s'y trouva
enfin installé, calé, encastré, inébranlable. On rabattit
sur lui le couvercle, dûment cloué et vissé, et ce jour-
là les conservateurs, bons royalistes, respirèrent : il
leur semblait avoir scellé pour jamais au cercueil l'in-
solente effigie, et l'homme néfaste, et sa légende.

Depuis ce moment le nom du personnage ne fut plus
une fois prononcé : la chose devint le « colis », la
« caisse », le « fardeau », l' « appareil »... Le contenu
resta anonyme. On employa un jour à traîner ce coffre
gigantesque, sur des rouleaux, à force de cabestans,
jusqu'aux guichets du Carrousel; il resta là durant toute
une nuit; le lendemain on entreprit de le tirer jusqu'au
port Saint-Nicolas. Les Parisiens qui s'amassaient pour
voir les ouvriers manœuvrer cette boîte immense et si
lourde, ne se doutaient guère qu'elle contenait l'Empereur, livré pour la seconde fois aux Anglais. Le soir
du deuxième jour, la caisse était arrimée à bord d'un
bateau appartenant au marinier Deriberpray, avec lequel on avait passé traité moyennant 480 francs. Le
colis devait être transbordé à Rouen et gagner de là
Le Havre, où on l'embarquerait pour l'Angleterre.
Tous les détails de l'opération sont consignés en de
nombreux rapports contenus dans le carton O^3 1430
des Archives nationales.

Mais à Rouen, nouvel embarras : la grue du port
n'était pas assez forte pour soulever un pareil poids;
il fallut recourir à l'industrie privée et le transborde-
ment s'effectua non sans peine. Tous les débardeurs qui
y prirent part, tous les badauds qui y assistèrent s'in-
formaient de ce que pouvait contenir ce colis de dimensions et de poids insolites; à tous il fut répondu
qu'on l'ignorait; et de fait, il paraît bien que seuls les

conservateurs du musée, les emballeurs, le maire du
Havre et l'ambassadeur de France à Londres furent
mis dans la confidence.

Le voyage dura quatre mois; parti du Louvre le
1er avril, le fardeau fut déposé le 30 juillet sur les
quais de la Tamise. On ouvrit la caisse; le marbre
était intact; il apparut dans sa blancheur de spectre,
avec sa lèvre dédaigneuse, son front limpide, ses yeux
de marbre sans prunelles et son corps de jeune dieu,
car Napoléon y était représenté complètement nu...
Tout bien considéré, ça valait l'argent; Lord Hamilton,
sous-secrétaire d'Etat aux Affaires étrangères, signa la
traite de soixante-six mille francs, ainsi qu'on était
convenu, et la somme, versée dans la caisse du musée,
fut employée à l'aménagement de la salle des antiques
et à réparer les dégâts occasionnés dans la galerie des
tableaux par les opérations des commissaires étrangers.

Le Napoléon de Canova est aujourd'hui exposé à
Aspley House, l'hôtel de Wellington, à Londres.

ANTOMMARCHI

Sɪ quelqu'un ne semblait pas destiné à la gloire, c'était bien ce petit frater qui, en 1818, était préparateur des dissections à l'amphithéâtre de Florence.

Il s'appelait François Antommarchi; il avait vingt-neuf ans. Né en Corse, il était resté jusqu'à l'âge de quinze ans sans maîtres : à peine parlait-il le français. Venu à Florence pour y étudier l'anatomie, il ne semble pas qu'il obtint le diplôme de docteur, bien que plus tard il se parât de ce titre : il resta simple prosecteur et s'occupa de vagues recherches physiologiques. Au résumé, c'était « un amateur » et il n'avait guère exercé quand, à la fin de cette année 1818, le cardinal Fesch le désigna pour être le médecin de Napoléon à Sainte-Hélène.

De la part de l'oncle de l'Empereur un tel choix marquait-il légèreté ou ignorance? Non pas : c'était, au contraire, confiance obstinée dans la miraculeuse étoile de son neveu. « Son existence est un prodige et Dieu peut continuer à faire de lui ce qu'il lui plaît », écrivait Fesch, convaincu que la science ou la maladresse d'un médecin n'influeraient en rien sur les desseins de la Providence. Bien plus, le cardinal *sait* que

Napoléon n'est plus à Sainte-Hélène : la Vierge n'est-elle pas apparue à une pieuse Allemande pour lui communiquer, chaque nuit, des nouvelles de l'Empereur? La visionnaire apprend ainsi, et en fait confidence à Fesch, que le proscrit « a été enlevé de son rocher par les anges; ceux-ci l'ont porté on ne peut pas dire où; mais sa santé est florissante — c'est l'important —, et on ne tardera pas à entendre parler de lui ».

Le cardinal émerveillé ne garde pas pour soi la bonne nouvelle. Las Cases, qui a séjourné dans l'île et qui est revenu depuis peu en Europe, se montre incrédule; mais Fesch le rassure : « Quoique les gazettes et les Anglais veulent insinuer qu'*Il* est toujours à Sainte-Hélène, nous avons lieu de croire qu'il n'y est plus; bien que nous ne sachions ni le lieu où il se trouve, ni le temps où il se rendra visible, nous avons des preuves suffisantes pour persister dans nos croyances et pour espérer même que, dans peu de temps, nous l'apprendrons d'une manière humainement certaine. Il n'y a pas de doute que le geôlier de Sainte-Hélène oblige le comte Bertrand à vous écrire comme si Napoléon était encore dans les fers; mais nous avons *des certitudes supérieures.* »

On comprend qu'avec ces certitudes supérieures il était bien inutile d'envoyer à Sainte-Hélène un habile et coûteux médecin; le moindre carabin suffisait, puisque à son arrivée il devait trouver Longwood-house désert. Cette sinécure rapportant 9 000 francs par an, autant valait faire profiter de l'aubaine ce pauvre diable de Corse, sans clientèle, maigrement employé vers ce temps-là par une société d'« amis des arts et de l'humanité » à surveiller la publication de l'*Anatomia* de Mascagni. Antommarchi, ravi, se mit donc en route,

sans un domestique, en étudiant, et ne se pressa pas.
Il resta quarante jours à Rome, s'attarda quatre mois
à Londres où, se présentant comme « médecin de Napoléon », il travailla à recueillir des souscriptions pour
son *Anatomia,* s'embarqua le 10 juillet à Gravesend
et parvint enfin le 18 septembre à Sainte-Hélène. Tandis qu'il promenait ainsi ses loisirs, le cancer rongeait
le captif qui depuis quatorze mois n'avait vu aucun
médecin et n'avait suivi aucun régime.

Antommarchi d'ailleurs avait son idée faite : avant
de se présenter chez l'Empereur, il accepta de dîner
chez le gouverneur Hudson Lowe, et s'il fut là étonné
d'apprendre que le prisonnier était toujours dans l'île
— Fesch, évidemment, lui avait fait part de ses *certitudes* —, il rassura sur-le-champ les geôliers, professant,
d'après ce qu'il avait entendu dire à Londres, que *le
général* n'avait besoin que d'exercice... Un peu pares-
seux, le général; mais il allait le secouer. Ceci satis-
faisait grandement les Anglais; le climat de l'affreux
rocher occasionnait nombre d'hépatites chroniques, fréquemment purulentes : « La plupart des familles de
l'île sont en deuil », imprimait un journal de Londres;
mais Napoléon n'avait pas le droit d'être malade; le
climat surtout devait être déclaré très bon pour sa
santé : tel était l'ordre de Lowe. Le médecin Stokoë,
pour avoir diagnostiqué un embarras du foie, avait
perdu son emploi et s'était vu traduit devant un conseil
de guerre. Antommarchi, que les diagnostics ne gênaient point, arriva donc à Longwood docilement persuadé que la souffrance dont se plaignait l'Empereur
n'était qu'un mal de commande, un « mal politique »,
inventé pour attendrir l'opinion et obtenir un change-
ment de résidence. A la table du gouverneur, il avait

entendu les Anglais parler de la chose en ricanant, avec
les malicieux clignements d'yeux de gens qui ne s'y
trompent pas; et comme cette version mettait son intérêt d'accord avec son ignorance, le frater corse l'adopta
sans hésitation.

Alors commence l'effrayant duel de Napoléon mourant contre son inepte médecin. L'Empereur a perdu
l'appétit; ses jambes sont enflées. « Il faut se remuer,
jardiner, bêcher la terre », ordonne tranquillement Antommarchi. Napoléon est torturé par une douleur au
côté droit; il lui semble qu'une lame de canif lui la-
boure le flanc : « Simple constipation », décide le médecin. Il n'est jamais là d'ailleurs, passe ses journées et
ses nuits à la ville, où il joue au personnage, à moins
qu'il ne coure les filles. A peine accorde-t-il à son malade cinq minutes le matin, et pas tous les jours. Il
se présente dans la chambre impériale en négligé, vêtu
d'un pantalon ou chaussé de bottes. Il parle en camarade à Bertrand et à Montholon, les appelant par leur
nom tout court, familièrement, sans titre ni grade. Il
ordonne au hasard de l'émétique, des vésicatoires, des
purgatifs, des lavements; l'Empereur se révolte, puis
obéit, gémissant : « On ne le ferait pas pour un malheureux dans un hôpital. » Et dans ce drame de la
grandiose agonie, dont après un siècle écoulé il est impossible de lire les péripéties sans révolte et sans admiration, le jovial chirurgien passe, inconscient, badin,
flâneur et indifférent. Plus tard même, dans les derniers
jours, quand Napoléon, présageant que la fin approche,
indiquera à l'abbé Vignali les dispositions à prendre
pour la chapelle ardente, disant : « Je suis né dans
la religion catholique; je veux remplir les devoirs
qu'elle impose », à ce moment solennel quelqu'un trou-

vera la situation comique et jugera plaisant de rire :
c'est Antommarchi. Cette fois, l'Empereur moribond
s'indignera :

« Vos sottises me fatiguent, monsieur; je puis bien
pardonner votre légèreté et votre manque de savoir-
vivre; mais un manque de cœur, jamais! Retirez-vous! »

Resté seul avec son valet de chambre, il fit l'éloge
de l'aumônier; puis revenant au médecin :

« Quant à cet autre imbécile, il ne vaut vraiment
pas que je m'en occupe. Quelqu'un a-t-il été plus mal
soigné que moi par lui? »

Tel est le jugement porté par Napoléon sur Antommarchi. M. Frédéric Masson, étudiant l'entourage du
prisonnier de Sainte-Hélène, est parvenu à dégager
des brumes avantageuses qui l'enveloppaient la falote
silhouette de cet étudiant attardé. A mesure que se
précisent, l'un après l'autre, les témoins jusqu'alors mal
connus de la captivité, l'admirable tragédie de Sainte-
Hélène devient d'autant plus lumineuse et poignante
qu'on y sent plus cruel l'isolement moral du proscrit
parmi quelques rares amis, fidèles mais lassés, et des
compagnons de rencontre comme ce médecin qui, de
sa vie, n'eut qu'un « client », et dont le nom pourtant
demeurera impérissable.

« Vous ne connaîtrez mon mal que quand vous m'aurez ouvert », disait l'Empereur à Antommarchi. Celui-ci
fut bien surpris en effet lorsqu'à l'autopsie fut constaté
l'ulcère insoupçonné. Le lendemain, un médecin anglais, Burton, prit un moulage de la tête impériale, le
chirurgien corse s'y étant refusé en raison, disait-il, de
la mauvaise qualité du plâtre; pourtant, l'opération
ayant réussi, il se ravisa et s'appropria le moulage en
relief de la face. Avec ce butin et dix-huit mille francs,

il revint en Europe. Pourquoi débarqua-t-il en Angleterre « presque entièrement dénué de moyens pécu-
niaires »? A quoi et où avait-il dépensé son argent?
On ne sait pas : tout est louche dans son aventure.
Ce qui lui importe maintenant, c'est de tirer parti de
son titre de gloire. Il part pour l'Italie à l'automne
de 1821, dans l'espoir d'y rencontrer Marie-Louise,
l'épouse insuffisamment éplorée de Napoléon; il compte
lui faire connaître que l'Empereur mourant s'est déclaré
si satisfait de ses soins qu'il lui a légué une rente via-
gère de 6 000 francs et a manifesté le désir que l'Impératrice n'ait jamais d'autre médecin que lui. Mais
Marie-Louise ne consent pas à l'entendre; elle redoute
les émotions. Neipperg, le mari en exercice, reçoit Antommarchi et s'en débarrasse par le don d'une petite
bague. A quelques mois de là, le Corse revient à la
charge, sans succès, regagne Paris, s'installe rue de Rivoli, tâche de reprendre — d'essayer pour mieux dire
— l'exercice de la médecine et donne des consultations
gratuites, à défaut d'autres.

On vit petitement à soigner les gens pour rien; aussi
se rapproche-t-il des exécuteurs testamentaires de Napoléon. Comment parvient-il à leur persuader que dans
un de ses derniers codicilles l'Empereur l'a inscrit pour
une rente de 6 000 francs? Ceci paraît d'autant plus
inexplicable qu'ayant plus tard changé d'avis, et préférant à cette rente improbable un capital, il se rappelle
maintenant qu'un autre codicille l'a fait légataire de
cent mille francs. Et les complaisants exécuteurs testamentaires témoignent du fait : le codicille. assurent-ils,
existe; on n'en sait pas bien la date; mais Bertrand et
Montholon en attestent l'authenticité.

Antommarchi n'obtint ni les cent mille francs ni la

rente : un jugement arbitral lui accorda seulement une pension annuelle de 3 000 francs. C'est alors qu'après la révolution de 1830 il chercha à trafiquer du moulage soustrait au docteur Burton. Il lança l'affaire à grand renfort de prospectus; les journaux annoncèrent l'édition « du plâtre ou masque du grand homme ». — « Aucun défigurement, aucune altération! Tout le monde aura le masque de Napoléon; et dans quelques années on le verra dans toutes les chaumières, à côté de la croix sur laquelle est mort notre Sauveur! » Réclames, grosse caisse : qui en désire? Ce commerce rendit peu et Antommarchi ne tarda pas à vendre le droit de reproduction à deux fondeurs réputés. Le *médecin de l'empereur Napoléon* jugea que décidément il avait tiré de ce titre magnifique tout ce que celui-ci pouvait donner en Europe; il partit pour la Nouvelle-Orléans où il s'établit homéopathe. Cette fois encore le résultat fut médiocre. Alors Antommarchi passa à Santiago et s'intitula oculiste.

Ce qu'il y a de plus extraordinaire dans cette étonnante existence, c'est que cette profession nouvelle lui valut un grand renom; il vous opérait les gens de la cataracte comme s'il n'avait fait rien d'autre de sa vie. Antommarchi avait enfin trouvé sa voie; par malheur elle fut courte; il mourut de la fièvre jaune le 3 avril 1838.

LES MARIS DE MARIE-LOUISE

UNE fille qui pouvait se flatter d'avoir été élevée selon les bienséances était l'archiduchesse Marie-Louise, fille de l'empereur d'Autriche, celle-là même à laquelle les exigences de la politique destinaient la couronne impériale de France.

Son grand plaisir, quand elle était enfant, consistait à courir dans la prairie d'Achau et à cueillir de la véronique *pour faire du thé;* elle pêchait aussi des *écrivisses* dans la Vienne. Elle savait le français, l'anglais, l'italien, l'espagnol, l'allemand, tout naturellement, et même le turc et le latin; mais elle disait *écrivisses,* comme les marchandes au panier de la rue Saint-Denis. D'ailleurs elle aimait les bêtes, toutes les bêtes : les tourterelles, les lièvres, les agneaux, et montrait un penchant particulier pour les grenouilles. Sa correspondance enfantine abonde en histoires de grenouilles; l'innocente princesse raconte comment « elle a été sur le point d'en prendre une, vert pistache, et comment elle l'a manquée ».

« Je la regrette, car elle était la plus belle de toutes au monde; peut-être que je la rattraperai. »

Un jour, un courtisan lui fait cadeau de quatre rai-

nettes; Marie-Louise en expédie deux à sa sœur Léo-
poldine et garde les autres, qu'elle trouve fort belles et
qui font sa joie.

Les austères dames chargées de son éducation lui
permettaient ces plaisirs modestes; la prude étiquette
de la cour d'Autriche exigeait qu'on préservât les archi-
duchesses, jusqu'au jour de leur mariage, de toute impression qui eût pu effleurer leur ingénuité. Les livres
mis à la disposition de Marie-Louise étaient soigneusement expurgés; et pour la laisser dans une ignorance
absolue des détails les plus élémentaires de l'histoire
naturelle, on bannissait impitoyablement de sa vue les
animaux mâles; seules, les femelles, plus décentes,
étaient tolérées dans les appartements et les jardins de
Schœnbrünn.

Peut-être n'est-ce pas de tant de ménagements que se
construisent les hautes et solides vertus, et si les ma-
trones qui avaient à ce point raffiné l'éducation de
Marie-Louise, vécurent assez pour suivre leur élève
jusqu'à la fin de ses jours, elles durent concevoir
quelques doutes discrets sur l'infaillibilité de leur système. Ah! l'existence, à cette rosière, réservait de terribles surprises. Quand, pour assurer la paix du monde,
elle fut promise à Napoléon, elle n'avait jamais vu son
futur époux que sous la forme d'une statuette de bois,
figurant un petit monstre noir et rébarbatif, que les
archiducs ses frères, lorsqu'ils jouaient au soldat, cri-
blaient de boulettes et lardaient de coups d'épingles.
Le mariage décidé, elle s'imagina être « une victime
destinée au Minotaure », et si, à la première entrevue,
le fougueux conquérant s'était montré aussi impatient
que l'assurait la chronique, la pauvre princesse aurait
connu que la fréquentation des chastes grenouilles et

des pudiques colombes de la Gloriette paternelle l'avait incomplètement préparée à la vie.

Elle n'aima pas Napoléon : elle avoua, plus tard, qu'elle n'éprouva jamais pour lui « un sentiment vif d'aucun genre »; mais elle manifesta à son égard une sorte de tendresse officielle qui réussit à faire illusion. Aux Tuileries, à Saint-Cloud, poupée grandiose, elle s'ennuyait; pour remplacer la pêche aux *écrivisses*, elle s'adonnait à la peinture et prenait des leçons de Prud'hon; mais l'odeur des couleurs l'incommodait. « Etes-vous content de votre élève? demandait quelqu'un à l'artiste. — C'est une bonne personne, répondit-il. — Et ses progrès? — Oh! ses progrès laissent à désirer. Sa Majesté trouve que le dessin lui salit les doigts et elle ne touche pas à ses crayons. — Alors que fait-elle pendant vos leçons? — Elle dort. » Voilà qui explique pourquoi certain tableau conservé au musée de Besançon et représentant l'innocence, sous la figure d'une fillette pressant sur son sein une colombe — tableau attribué à *Marie-Louise, impératrice des Français* — ressemble, au point de tromper les plus madrés connaisseurs, à une peinture de Prud'hon.

C'est une destinée bizarre que de se trouver l'héroïne d'une épopée à laquelle on ne s'intéresse pas. Napoléon avait pour femme une placide *Gretchen* du Prater, quand il eût fallu, pour tenir l'emploi, une Camille ou une Didon. Lors de l'effondrement de l'Empire, au lendemain de la nuit tragique où Bonaparte avait signé sa déchéance et tenté de s'empoisonner, un de ses ex-chambellans, M. de Saint-Aulaire, fut chargé d'aviser de ces deux événements l'Impératrice. Annoncé chez elle de grand matin, il la trouva à peine éveillée, assise au bord de son lit, tandis que ses pieds nus sor-

taient de dessous les couvertures. Très ému devant
« cette illustre infortune », le pauvre chambellan,
après s'être acquitté de sa redoutable mission, n'osait
lever les yeux, « pour n'avoir pas l'air d'observer sur la
figure de la souveraine l'effet de ses paroles ». Marie-
Louise s'y méprit : « Ah! vous regardez mon pied,
fit-elle gentiment; on m'a toujours dit qu'il était joli. »

Ce qui gênera les dramaturges de l'avenir, quand ils
mettront en tragédie ces grandes catastrophes, c'est qu'il
n'y a pas, dans tout cela, un rôle de femme. Si, au lieu
d'élever des colombes, Marie-Louise avait lu, toute
enfant, Corneille ou Racine, même expurgés, peut-être
eût-elle trouvé là des inspirations; mais cette femme
d'Hector n'avait rien d'Andromaque. Le docteur Max Billard nous a conté sa singulière odyssée à l'étude de laquelle
il apporte ce je ne sais quoi d'indiscret qui donne tant de
piment aux histoires qu'écrivent les médecins. On y voit
défiler les trois hommes qui succédèrent à l'Empereur
dans le cœur de l'archiduchesse : Neipperg d'abord, en
habit brodé, chamarré d'ordres et de décorations, mais
peu séduisant, avec ses cheveux blond clair, frisés *à
l'enfant,* son teint rouge, son petit balai de moustache
hérissé sous le nez, et le bandeau noir cachant la cica-
trice profonde qui l'avait privé de l'œil droit. Devenue
duchesse de Parme, Marie-Louise épousa ce militaire
dans l'été de 1820, à l'époque où elle allait le rendre
père pour la seconde fois; elle n'était pas libre, et Napoléon vivait encore; mais si loin, si oublié, d'elle du
moins! Elle déclarait elle-même que jamais elle n'avait
été « si heureuse et si tranquille ». D'ailleurs le héros
encombrant ne devait point tarder à disparaître. Marie-
Louise apprit par la *Gazette de Piémont* la mort de
son premier mari. Elle en fut « très frappée », écrit-elle

à l'une de ses amies, en lui annonçant qu'elle va prendre le deuil pour trois mois, et terminant sa lettre, admirable d'insouciance, en faisant réflexion que ce qui la chagrine *beaucoup aussi*, c'est la chaleur et les *cousins*. « J'en ai été tellement piquée dans la figure, que j'ai l'air d'un monstre et que je suis contente de ne pas devoir me montrer. » On le voit, la mort du prisonnier de Sainte-Hélène *tombait bien*; d'autant mieux même, que le deuil permit à la veuve de dissimuler la naissance d'un fils, qui, le 9 août 1821, fut baptisé Guillaume-Albert, et créé, plus tard, prince de Montenuovo.

En revanche, quand Neipperg mourut, le 22 février 1829, l'archiduchesse Marie-Louise fit à son second époux des funérailles en comparaison desquelles celles d'Achille n'avaient été qu'un enterrement de dernière classe : tambours, musique, clergé, canon, valets porteurs de torches, « psaumes de la douleur et de la pénitence », office funèbre de vingt-quatre heures, et pour finir, « immolation d'un cheval de bataille aux mânes du guerrier ». Puis, ayant fait élever à la mémoire du défunt un magnifique mausolée en marbre de Carrare, la duchesse se confina dans son palais, résolue à y mourir de chagrin.

Mais le temps fit son œuvre, et le successeur de Neipperg dans les fonctions de grand-maître de la cour de Parme était un homme bien séduisant : il se nommait le comte de Bombelles; des sèves de jeunesse fleurissaient encore dans le cœur de Marie-Louise; elle le fit comprendre à son majordome qui, « stupéfié » d'abord, « se résigna ». Nouveau mariage secret, nouvelle lune de miel; la duchesse n'était plus très attrayante à cette époque : c'était une bonne dame, voûtée; elle avait la lèvre inférieure « épaisse et très pendante, ce qui la faisait paraître plus vieille que son âge ». On ne sait si, dans ces conditions, la résignation de Bombelles fut durable; il est certain qu'il trouvait moyen de s'absenter souvent, et c'est au cours d'une de ces absences que Marie-Louise distingua un ténor de son théâtre grand-ducal, dont toutes les dames de Parme étaient affolées. Ce ténor n'était chanteur que par occasion : Français de naissance et journaliste parisien, il avait éprouvé quelques déboires assez sérieux pour l'obliger à passer la frontière. Il s'appelait Jules Lecomte; si Bombelles était mort, nul doute que ce confrère ne fût devenu le quatrième mari de l'ex-impératrice; il fut, du moins passagèrement, le successeur de Napoléon : et c'est lui-même qui en fit bravement l'aveu, en écrivant à son éditeur : « Oui, mon cher, je succède à Napoléon; vous ne vous en apercevez pas aux Tuileries, mais je m'en aperçois à Parme. J'ai chanté devant Marie-Louise; elle m'a retenu à souper; le souper dura toute la nuit. Quand je me suis réveillé, le matin, j'ai pu me figurer que j'étais l'Empereur! »

Hélas! il ne se vantait pas : il resta, en effet, plusieurs mois à la cour de Parme; la femme qui n'avait pas aimé Napoléon adora Jules Lecomte; un tel exemple ferait désespérer pour jamais de la logique du cœur féminin, si l'on n'avait ici la ressource de reporter une part de responsabilité au ridicule système d'éducation qui avait présidé à la formation de la jeune princesse. Et qui sait? Pas si ridicule, peut-être, puisqu'une fille, fût-elle de sang royal, a toujours plus, beaucoup plus d'occasions de rencontrer un ténor qu'un homme de génie.

UN AUTRE AIGLON

Du *lundi, 15 décembre 1806, acte de naissance de* LEON, *du sexe masculin, né le 13 de ce mois, à deux heures du matin, rue de la Victoire, n° 29, division du Mont-Blanc, fils de demoiselle* ELEONORE DENUELLE, *rentière, âgée de vingt ans et de* PERE ABSENT.

Pour informer de cette naissance l'empereur Napoléon, un courrier partit aussitôt de Paris et traversa toute l'Europe; il trouva le conquérant à Pulstuck, où il séjournait pendant les journées du 30 et 31 décembre de cette année-là. C'est le maréchal Lefèvre qui eut l'honneur d'annoncer à son maître l'événement. Napoléon, tout heureux, s'écria : « Enfin, j'ai un fils! »

L'enfant était son fils en effet. Eléonore Denuelle, fille d'un petit rentier, était une jolie personne, de taille élancée, brune aux yeux noirs. Ancienne élève de Mme Campan, au pensionnat de Saint-Germain, et devenue lectrice de Caroline Murat, elle avait été *remarquée* par l'Empereur au retour d'Austerlitz, en janvier 1806. De cette remarque était né *le petit Léon*.

On le confia à Mme Loir, nourrice d'Achille Murat; quand il fut en âge d'apprendre à lire, il entra, sur l'ordre de l'Empereur, à l'institution Hix, rue de Matignon; il avait pour tuteur M. de Mauvières, le beau-père de Méneval, secrétaire intime de Napoléon, qui, même après son mariage avec Marie-Louise, ne se privait pas de recevoir aux Tuileries le bambin, auquel il s'intéressait. Depuis longtemps il avait oublié la mère, Eléonore Denuelle; il est même assez singulier de constater que, le lendemain même du jour où il avait appris à Pulstuck la naissance de Léon, il rencontrait pour la première fois, au relais de poste de Bronie, Mme Walewska qui devait tenir une grande place dans sa vie et lui donner un autre fils.

Pourtant, même aux pires heures, il n'oublie pas le petit Léon : après lui avoir assuré une situation indépendante, il se souvient de lui, en janvier 1814, au moment où s'engage la campagne de France et lui constitue 12 000 francs de rente. Dix-huit mois plus tard, le 25 juin 1815, avant de quitter l'Elysée pour toujours, il fait rédiger en faveur du fils d'Eléonore Denuelle un acte de donation de 100 000 francs; c'est là sans doute la dernière signature qu'il donna à Paris : car le même jour, à midi, il gagne La Malmaison; le 29, il part pour l'exil éternel. A Sainte-Hélène encore, il pense à l'enfant et l'inscrit pour 300 000 francs dans son testament, ajoutant : « Je ne serais pas fâché que le petit Léon entrât dans la magistrature, si cela était de son goût. »

En 1821, quand Napoléon mourut, *le petit Léon* avait quinze ans. *Son goût* n'était pas d'entrer dans la magistrature : loin de là. Il se savait riche et n'avait qu'une préoccupation, celle de savoir comme il dépenserait son argent; art facile et dans lequel, ayant commencé jeune, il fut vite passé maître. Dix ans plus tard, il ne lui restait rien de sa fortune; mais les trois

couleurs, en 1830, étaient revenues, la légende Napo-
léonienne ressuscitait avec l'enthousiasme populaire et
le *comte Léon,* flairant quelque Marengo possible, sentit
bouillonner en lui des ardeurs guerrières. Oh! sa carrière fut moins brillante que celle de son père, malgré
les promesses du début; la garde nationale de Saint-
Denis l'élut pour son chef de bataillon. Il était superbe
sous les armes; de haute prestance, se tenant droit,
portant beau, l'air décidé, le nez busqué, la bouche fine;
dans l'ensemble — sauf la taille — un portrait vivant
de Napoléon, et derrière un tel chef, les gardes nationaux de Saint-Denis s'imaginaient être les terribles
grognards de la Vieille Garde. Son grade permettait à
leur beau commandant de s'asseoir, une fois par trimestre, à la table du roi-citoyen, et il en profitait à
l'heure du café pour soutirer au bon Louis-Philippe
quelque subside personnel. Mais cet heureux temps
dura peu; le brillant officier avait la tête chaude et
l'esprit frondeur : à la suite d'un refus de service, il fut
suspendu, puis révoqué : son étoile n'avait brillé que
deux ans.

En 1838 on le retrouve à la prison de Clichy où il
est détenu pour dettes. Ce qu'apprenant Mgr de Quelen,
archevêque de Paris, conçut la pensée de consacrer à
Dieu l'activité, jusqu'alors mal employée, de ce fils du
grand Empereur. Le prélat s'adressa au pape, par l'en-
tremise du cardinal Fesch, et tous deux se montrèrent
disposés à faire asseoir un jour le comte Léon sur un
siège épiscopal. Mais on ne devient pas évêque aussi
facilement que chef de bataillon de la garde nationale,
il y faut quelque préparation et du recueillement, ce
qui rebuta le bouillant catéchumène; d'ailleurs *son
goût* ne le portait pas vers ce saint état plus qu'il ne

l'avait dirigé vers la magistrature, et quand il sortit de prison, il préféra de nouveau courir les aventures.

Il habite alors, rue du Mail, en garni, il vit là avec une dame Lesieur et le mari de celle-ci, commis au ministère de la Guerre; ce ménage à trois subsiste des appointements de l'employé et du peu d'argent que la femme gagne en pratiquant le magnétisme. Elle n'y fit point fortune et le petit Léon, à bout d'expédients, résolut d'aller s'asseoir au foyer du peuple britannique.

Plusieurs historiens ont fouillé la trouble existence de ce singulier personnage : après M. Frédéric Masson, qui, le premier, en a fixé les traits principaux, M. Georges Montorgueil et M. Paul Ginisty ont recueilli nombre d'incidents de cette pitoyable Iliade. Le docteur Max Billard a complété le portrait : il nous montre le comte Léon, provoquant à Londres, en 1840, le prince Louis, le futur empereur Napoléon III, qui a refusé de recevoir *son cousin*. La rencontre eut lieu à Wimbledon-Common : les témoins du prince Louis s'étaient munis de deux épées, ceux de Léon apportaient une paire de pistolets. On ne s'entendit pas sur le choix des armes. Les policemen survinrent, mirent les champions d'accord en les emmenant devant le juge qui ne consentit à les laisser en liberté que moyennant 37 000 francs de *garantie,* qu'ils devaient payer par moitié. L'histoire ne dit point par quel miracle le comte Léon se tira de ce mauvais pas; il en sortit pourtant, car le 14 décembre de la même année, au jour fameux *du retour des cendres,* il se trouvait à Courbevoie à l'arrivée du bateau qui portait la glorieuse dépouille de son père, qu'il suivit jusqu'aux Invalides, au son des fanfares et des salves.

C'est alors que le fils d'Eléonore Denuelle se crut

mûr pour la vie politique : il attendait son heure : il
crut l'entendre sonner, en 1848, lorsqu'il apprit que son
cousin, le prince Louis, posait sa candidature à la présidence de la République; il estimait que cette dignité
lui revenait, par droit de naissance, et il songea à « bri-
guer les suffrages de la nation ». Il y renonça bientôt,
du reste, estimant que ce serait diviser les chances de
la famille, et dès que l'Empire fut rétabli, il se montra
partisan fanatique du nouveau régime. Il se croyait
obligé de dire son mot, et adressait aux habitants de
Saint-Denis des proclamations enflammées. De l'Empereur que, douze ans auparavant, il avait voulu tuer, il
accepta, sans rancune, 6 000 francs de pension et 225 000
francs de capital, « paiement du legs de conscience de
Napoléon ». Cette somme dura « l'espace d'un matin »
et Léon se remit à quémander : Napoléon III consentit
à payer ses dettes; mais ce pseudo-cousin était un peu
trop compromettant et on lui fit comprendre qu'il eût
à se taire.

Léon avait épousé, en 1862, une simple et modeste
couturière, Fanny Jouet, qui l'avait rendu père de
quatre enfants. Après 1870, chargé de famille, privé de
sa pension, sans crédit, sans espoir de jours meilleurs, il
sombre tout à coup dans la misère; il erre de Londres à
Toulouse, de Bordeaux à Tours; en 1879, besogneux,
affamé, lamentable, on le revoit à Paris; il n'y fait que
passer et va se fixer à Pontoise, où il trouve à se loger
dans une petite maison de la rue Baujon. Il n'avait plus
rien; de toutes les épreuves sous le poids desquelles il
succombait, la plus cruelle de toutes était la privation
de tabac. On a recueilli ce trait navrant : un jour, à
bout de résignation, le comte Léon avise une servante
et, tirant de sa poche un couteau : « Voulez-vous faire

un marché? dit-il d'un ton suppliant. — Lequel? —
Je vous donne ce couteau pour un sou de tabac... »

La femme consentit à l'échange; savait-elle que celui
qui le lui proposait avait, tout petit, reçu les courbettes
des chambellans et joué aux Tuileries sur les genoux
de l'Empereur? Pouvait-elle soupçonner que ce pauvre
homme avait failli être proclamé le successeur de Napoléon et ceindre la double couronne de France et d'Italie? L'Empereur pour éviter de rompre avec Joséphine
avait eu en effet la pensée d'adopter son enfant naturel.

Le comte Léon mourut le 14 avril 1881 : les voisins
durent recueillir sa femme et l'une de ses filles et se
cotisèrent pour payer son cercueil.

POINTS D'INTERROGATION

Quand le comte de Flers, père du regretté auteur dramatique, était sous-préfet de Senlis, dans les premières années du Second Empire, on rencontrait fréquemment, aux soirées de la sous-préfecture, une jeune personne très jolie, que certains s'étonnaient de voir là. Elle était arrivée à Senlis en 1848, alors qu'elle avait environ seize ans, avec un couple d'Allemands, le mari et la femme, disait-on, venus on ne savait d'où et qui se nommaient Fritsch. Le père Fritsch, bon gros homme sans prétention à l'élégance, mais excellent musicien, s'occupa tout de suite à recruter des élèves : la mère Fristch, douée, elle aussi, d'une imposante corpulence, était sans grâce et, pour tout dire, assez vulgaire; la fillette, Eugénie, apparaissait charmante; un teint éclatant de fraîcheur, une souplesse de sirène, une voix enchanteresse et, par surcroît de séduction, un talent de dire les vers qui l'égalait aux *muses* les plus réputées. Comme Fritsch donnait des leçons dans les familles les mieux posées, la société senlisienne adopta Eugénie, qu'on était curieux de connaître; admise d'abord chez la marquise de Giac, elle fut bientôt reçue dans tous les salons de la ville où, sauf les jeunes filles qu'elle éclipsait, le monde lui fit bon accueil; d'autant plus qu'elle semblait enveloppée d'un certain mystère; les gens bien informés prétendaient l'avoir rencontrée aux Tuileries, d'où l'on concluait témérairement que Napoléon III, fort appréciateur du beau sexe, avait pour elle « des attentions ».

En juillet 1870, la guerre contre l'Allemagne étant déclarée, Fritsch et et sa compagne déguerpirent. Il n'y eut qu'un cri : « C'étaient des espions! » On était surpris qu'Eugénie n'eût pas disparu avec ses parents; on lui fit subir un interrogatoire; la pièce est curieuse : « Pourquoi n'avez-vous pas suivi en Allemagne M. votre père? — Parce que M. Fritsch n'est pas mon père. — D'où êtes-vous? — Je ne sais pas. — Quand êtes-vous née? — Je ne sais pas. — Mais quel est votre nom? Quels sont vos parents? — Je ne sais pas. » Vérification faite, alors et depuis, elle ne mentait pas : celle qu'on appelait Eugénie Fritsch *n'avait pas d'état civil!* On devait apprendre plus tard que le professeur Fritsch et la femme qu'il disait être son épouse n'étaient pas mariés; celle-ci était une demoiselle de Lunck, dont Eugénie allait désormais prendre le nom, bien qu'elle ne fût pas sa fille; mais, pour Senlis, elle resta toujours Mlle Fritsch et nous lui garderons ici ce nom.

Tant que les Prussiens occupèrent Senlis, elle se dépensa pour eux en sourires et en amabilités, logeant chez elle des officiers, épargnant aux Senlisiens certaines rigueurs et parvenant à obtenir des adoucissements au sort des Français captifs en Allemagne. Cette conduite confirmait les soupçons d'espionnage dont bien des gens ne démordaient pas : on enquêta; on décacheta les lettres qui lui étaient adressées; on n'y trouva rien de répréhensible : Eugénie, évidemment, était

« neutre », et se souciait peu du « qu'en dira-t-on ». On le vit bien quand, le 24 décembre 1870, à cinq heures du soir, elle se présenta à la mairie, portant un paquet enveloppé de linges : l'hôtel municipal était rempli de soldats allemands; sans gêne ni pudeur, de l'air hautain qu'elle savait prendre : « Je viens, dit-elle, déclarer la naissance d'un enfant. » Le secrétaire de la mairie, M. Mahon, l'écoutait, interdit; elle poursuivit : « Oui, c'est un enfant de ma bonne; je ne m'étais aperçue de rien jusqu'au moment de la naissance. » Aucun médecin, aucune sage-femme n'avaient assisté à l'accouchement; l'enfant — un garçon — fut inscrit comme étant né « de la demoiselle Claire Kling, âgée de trente-quatre ans, native de Darmstadt ». En raison de la date, il fut nommé Noël-Georges-Eugène, et, quelques jours plus tard, Eugénie s'envolait de Senlis, enlevée par un cadet prussien d'origine polonaise; pour que tout fût extravagant dans cette histoire, ce jeune reître portait un nom d'opérette : il s'appelait Raoul-Théophile, comte de la Pommière de la Pomariski, et on apprit que le mariage de ce gentilhomme exotique avec la pseudo-fille du musicien Fritsch avait été célébré à Rome par le Saint-Père en personne, dans une chapelle du Vatican...

Les Allemands évacuèrent Senlis; les mois, les années passèrent; on oublia. Vers 1873, M. Fritsch et sa compagne reparurent; Fritsch reprit son cours de piano, mais, manifestement besogneux, il cumulait la pratique de son art avec la noble profession d'inventeur et se procurait quelques subsides supplémentaires en préconisant un système « destiné à empêcher les pantalons de s'user du bas ». Senlis ne fit pas grise mine à ces revenants louches qui se fixèrent dans une maison de

la rue Saint-Yves-à-l'Argent, mais quand Eugénie les y
rejoignit, on fut plus froid : la bénédiction de Pie IX
n'avait pas porté bonheur aux époux la Pommière de
la Pomariski et ils s'étaient séparés après quelques
semaines d'union orageuse. Des renseignements de
police datant de cette époque, il ressort que la prétendue Mme Fritsch, née de Lunck, originaire de
Vienne, en Autriche, avait habité Paris, depuis 1837,
avec sa fillette âgée d'environ cinq ans, Fritsch, lui,
venait de Hambourg, où il possédait une épouse légitime qui mourut en 1876. La fausse Mme Fritsch, de
Senlis, décéda dans cette ville en 1885, et le professeur
de piano mit à profit sa liberté pour s'établir à Paris,
où il se maria avec une jeune et très désirable Irlan-
daise dont il eut des enfants qu'il ne vit pas grandir,
car il périt lui-même écrasé par une voiture dans une
rue de son quartier. Et si l'histoire de cette étrange
famille vous paraît un peu singulière, je puis certifier
du moins que toutes les péripéties en sont d'une véri-
dicité indiscutable. Nous en devons la révélation à M. le
baron André de Maricourt, très instruit des secrètes
chroniques de Senlis, sa ville natale. La plupart de ces
chroniques touchent de très près à la grande histoire,
ainsi qu'on va le voir par la suite des aventures de
l'énigmatique Eugénie Pomariska.

    Seule désormais, elle demeura dans la vieille maison
de la rue Saint-Yves-à-l'Argent qu'avaient habitée les
Fritsch; elle y vivait de ressources mystérieuses, mais
considérables. Quoique personne ne sût son âge, il était
certain que, à la fin du xixᵉ siècle, elle dépassait très
largement la soixantaine. Etait-ce mépris de l'opinion
publique ou désir d'étonner? Elle se promenait dans la
campagne vêtue de robes à traînes voyantes, roses, vert-

choux ou lilas vif, coiffée d'un chapeau de bergère et
maniant une de ces minuscules ombrelles naguère mises
à la mode par l'impératrice Eugénie. Malgré ses yeux
myopes, son sourire de chat, on distinguait encore
qu'elle avait été belle et était « de race ». Les gamins
la suivaient et l'accablaient de quolibets; elle ne s'en
inquiétait guère. Pourtant, comme dans ses courses à
travers champs elle s'informait de tout, interrogeait les
paysans, pénétrait dans les fermes et posait aux gens
des questions fort indiscrètes, on la suspecta de nouveau
d'espionnage; mais chaque fois qu'on la dénonçait,
arrivait un ordre du ministère de l'Intérieur ou d'ailleurs : « Laissez-la tranquille, nous en faisons notre
affaire. » L'âge venant, elle sortait moins souvent; on
savait qu'elle s'absentait fréquemment de Senlis sans
que l'on connût l'endroit où elle se rendait; on était
informé de son retour par les fournisseurs, auxquels elle
ouvrait elle-même sa porte. Bientôt, elle se refusa même
à l'entrebâiller; on plaçait ses vivres dans un panier
qu'elle descendait de sa fenêtre au bout d'une ficelle.
Elle avait bouché sa boîte aux lettres avec des chiffons,
supprimé sa sonnette et vivait sans feu, sans servante.
Un beau jour, cependant, elle reçut la visite d'un prélat
romain qui, en sortant de chez elle, eut avec le curé de
Senlis un long entretien dont rien ne s'ébruita. Une
autre fois, soir de fête publique, en 1904, on vit la
recluse de la rue Saint-Yves hors de son antre, en robe
de soie vert pomme et, place de la Halle, elle dansa un
cake-walk échevelé avec un gendarme et un hussard.

En 1909, une voisine, certaine que Mme de la Pommière n'avait pas quitté Senlis, s'inquiéta du silence
qui pesait sur la maison mystérieuse et prévint les
autorités; on força la porte et on trouva la pauvre

femme couchée sur un ignoble grabat. « Tableaux de prix, meubles anciens, dentelles, nippes de brocart et de satin, pistolets, bijoux, poignards, vaisselle, le tout volait dans un tourbillon de poussière, de vermine et d'ordures »; les rats avaient rongés des titres de rentes dont les coupons n'étaient pas touchés depuis quinze ans; il y en avait pour 200 000 francs; un petit rateau gisait à terre : il lui servait, dit-elle, à rechercher ses bijoux dans la poussière. La munici-palité de Senlis décida d'interner la démente octogé-naire à Clermont, où elle obtint un régime de faveur : jolie chambre, un piano, une servante — et des égards. C'est là qu'elle mourut en 1923, âgée, suppose-t-on, de quatre-vingt-onze ans. On l'enterra sous le nom d'Eu-génie de Lunck, « se disant veuve du comte de la Pom-mière »; et c'est alors seulement qu'on apprit le plus effarant de l'histoire : jusqu'à son internement, l'ermite de la rue Saint-Yves avait mené une existence double : en feuilletant une collection du *Gaulois,* M. de Mari-court y avait découvert l'annonce d'une fête donnée à Paris par la comtesse de la Pommière; à la rubrique « Déplacements et villégiatures », le *New York Herald* mentionnait, de temps à autre, que ladite comtesse « avait quitté son hôtel de Senlis et recevait chez elle, rue Balzac, à Paris ». M. de Maricourt se mit en quête d'invités ayant assisté à ces fêtes; il en trouva et, avec stupeur, il entendit de nobles dames, appartenant au plus grand monde, lui raconter combien les soirées de la chère comtesse étaient brillantes. Elle en était la reine, recevait à ravir, très gaie, lisant des vers en per-fection; bref, une femme exquise, dont Senlis n'avait connu que l'ombre : « Ah! si vous saviez, disait Mme de X..., quel entrain elle avait lorsqu'elle m'emmenait

en voiture au Grand Prix! » C'était la princesse de
Hohenlohe qui l'avait présentée à la société parisienne.
De son origine, on ne voulait rien dire, sinon que sa
naissance était « très haute et légitime »; un passeport
à elle délivré en 1873 par la police de Paris la signa-
lait comme native de Vienne (Autriche), *de parents
français*.

L'intermittente mondaine était depuis quatre ou cinq
ans à Clermont quand un étranger, passant par Senlis, s'informa d'elle : c'était un frère de feu Fritsch, le
maître de musique. Apprenant que la comtesse de la
Pommière était internée, il s'indigna : « Comment
le gouvernement français n'a-t-il pas eu plus d'égards
pour une telle femme? Pourquoi l'Etat ne lui servait-il
pas une pension? — Mais à quel titre? — Eh quoi!
Vous ignorez donc qu'elle est la fille du duc de Reich-
stadt?... » Cette demi-folle, fille de l'Aiglon, petite-fille
du grand Empereur, héritière des Césars autrichiens!
Pour le coup, les Senlisiens s'émurent : on se rappela
qu'on avait trouvé chez Eugénie un portrait du roi de
Rome et un portrait de Napoléon; même, en les mon-
trant un jour à une paysanne qui lui fournissait des
fruits, elle avait dit : « Voici mon père et voici mon
aïeul. » Personne n'avait ajouté foi à un tel propos. On
se souvint aussi que du taudis de la rue Saint-Yves on
avait retiré, pour la déposer en mains sûres, une malle
pleine de papiers. On commença l'inventaire de ce
fatras; mais la plupart des pièces étaient en allemand et
on remit à plus tard le soin de les traduire. Cela se
passait en 1914. A la fin d'août Senlis était envahi par
les Allemands, incendié, et les papiers de l'inconnue
disparurent dans le désastre. Depuis lors les points d'in-
terrogation se multiplient, sans réponse probable. Tout

ce que l'on apprit c'est qu'une agence de successions en déshérence, ayant entrepris de retrouver les héritiers de la comtesse de la Pommière, dépêcha à Vienne l'un de ses agents les plus experts : il n'en rapporta rien, sinon la certitude que, dans la ville ex-impériale, la tradition subsiste encore de la naissance d'une fille de l'Aiglon et d'une dame d'honneur de la cour.

FAUX NAPOLÉONS

TANDIS que les gens crédules — de ceux qui ajoutent foi à ce que racontent les journaux —, étaient persuadés que l'Empereur, embarqué par les Anglais à bord du *Northumberland*, le 7 août 1815, voguait vers Sainte-Hélène et devait avoir déjà passé l'Equateur, il se présenta, dans le courant de septembre, aux habitants d'un village de l'Isère : ce n'était pas un fantôme, mais bien Napoléon en personne et tous ceux qui l'avaient vu au temps de sa gloire le reconnurent. Seulement, il avait changé de nom : il se nommait maintenant *Félix*, pseudonyme de bon augure, puisque, comme nul ne l'ignore, ce mot latin signifie *heureux*. Cette apparition, loin de surprendre, était attendue : on s'étonnait même qu'elle eût tant tardé. Ne savait-on pas, en effet, que le grand homme accomplissait des miracles? Les paysans de l'Isère ne l'avaient-ils pas vu passer, sept mois auparavant, conquérant la France à la tête de 200 grenadiers? Il avait berné les Anglais à l'île d'Elbe, il pouvait bien leur avoir brûlé la politesse à Plymouth. D'ailleurs, on n'ignorait pas que, trois semaines après Waterloo, alors que les dépêches officielles signalaient son

séjour à l'île d'Aix, il était à Lyon, réfugié chez des
amis sûrs, et les ouvriers de la grande ville s'étaient
même soulevés, le réclamant pour chef. Bien qu'il eût
refusé de se mettre à leur tête, le bruit persistant de
sa présence dans la région lyonnaise avait préparé les
esprits à sa prochaine manifestation et l'on croyait
généralement qu'il allait surgir tout à coup, suivi d'une
armée formidable de Turcs et de Nègres.

Félix ne commandait ni Turcs ni Nègres : il était
seul et ne se risquait pas dans les villes : il parcourait
les campagnes, « parlant aux paysans de ses projets et
de ses moyens »; il n'alla pas loin : les autorités, bientôt
avisées de l'émotion causée par les randonnées de cet
imposteur, lancèrent les gendarmes à ses trousses; il fut
arrêté, conduit à Vienne-en-Dauphiné, et logé à la
prison de ce chef-lieu d'arrondissement. Son épopée
finit là; on ne sait ni quel était ce personnage, ni pour
quelles raisons il s'était embarqué dans cette aventure.
Sans doute, aux archives du greffe de Vienne, retrou-
verait-on trace des interrogatoires qu'on lui fit subir et
de la façon dont il tenta de se justifier. Ce dut être
piteux, car le rôle qu'il assumait était difficile à soutenir. On s'explique le succès persistant de nombreux
dauphins, fils de Louis XVI; les croyants attribuaient
au défaut de mémoire, les réticences bien excusables de
la part d'un enfant martyr, les lacunes des récits forgés
par ces prétendus princes et les bourdes dont ils les
agrémentaient : il leur suffisait de dire : *je ne me souviens plus*, pour exciter la pitié de leurs complaisants
adeptes. Mais dame! se prétendre Napoléon, c'est une
autre affaire et la première condition dans l'usurpation
d'une telle personnalité est de faire preuve de génie. Or,
le génie ne court pas les rues et ceux qui en sont doués

l'emploient ordinairement à toute autre chose qu'à
jouer les faux Smerdis.

Réduite à ce rien, l'histoire avortée de Napoléon-
Félix ne mériterait pas d'être rappelée : mais elle a une
suite, ou, tout au moins, un corollaire et c'est à un
fonctionnaire de la seconde Restauration qu'on doit
d'en être instruit. Armand Marquiset était, à 26 ans,
en 1822, secrétaire général de la préfecture de la
Lozère : son préfet, avec lequel il vivait en excellents
termes, se nommait M. de Valdenuit. Mende, chef-lieu
du département, était, à cette époque, une résidence
sévère : lacis de vieilles rues, sombres et étroites, serrées
autour de la cathédrale et dominées à pic par une
muraille de rochers, hauts de 350 mètres, qui ne contri-
buaient pas à égayer le paysage. Logé à la préfecture,
alors installée à l'ancien palais épiscopal, Marquiset,
qui avait vécu à Paris dans la société la plus élégante,
supportait courageusement son exil et, comme les distractions ne le détournaient pas de son devoir, il s'ap-
pliquait, de tout son zèle de bon royaliste, à surveiller
le personnel de l'arrondissement. Il entendit parler d'un
religieux, le père Hilarion, dont les paysans des environs de Mende prononçaient le nom avec une vénération empreinte d'une sorte de terreur superstitieuse :
Marquiset se renseigna auprès du capitaine de la gendarmerie : « Qu'est-ce que ce père Hilarion? Que savez-
vous de lui? » Le gendarme, très ému, se pencha vers le
secrétaire général et lui dit tout bas à l'oreille : « C'est
l'Empereur. — Comment? L'Empereur? s'exclama Marquiset; mais l'Empereur est mort depuis dix-huit mois! »
L'autre sourit d'un air incrédule et fit de la tête un
signe négatif. Manifestement, son opinion était irréductible et on tenterait vainement de la modifier.

Intrigué, Marquiset poursuivit son enquête : il apprit que ce père Hilarion était, à en juger par son costume « une espèce de capucin », venu on ne savait d'où. Il avait acheté, à quelques lieues de Mende, un vieux château en ruine qu'il espérait payer avec l'argent que lui enverrait le Bon Dieu en temps opportun. Il y recueillait les aliénés dénués de ressources qui, dans cet asile, trouvait, outre un régime confortable, des soins éclairés. Du mystère dont s'entourait la personnalité du charitable moine, une légende était née : on s'accordait à voir en lui quelque personnage éminent, dégoûté des grandeurs et désireux de faire oublier sa véritable identité; quelqu'un ayant émis l'idée qu'il pourrait bien être l'Empereur lui-même, cette conviction s'était propagée rapidement : en 1822, persuadés, comme bien d'autres, que Napoléon n'avait pu mourir, ainsi qu'on l'avait annoncé dans l'été de l'année précédente, la plupart des villageois de la Lozère et bon nombre de citadins de Mende croyaient fermement que, échappé de Sainte-Hélène, il s'était mué en père Hilarion; « jamais, écrivait Marquiset, nous n'avons pu les désabuser à cet égard »; mais lui-même désirait vivement connaître l'énigmatique philanthrope et juger personnellement des raisons qui avaient donné l'essor à ce singulier conte bleu. Il décida son préfet à l'accompagner et, un matin, tous deux se mirent en route avec le capitaine de gendarmerie et quelques hauts fonctionnaires civils et militaires du département; tous avaient revêtu pour la circonstance, comme s'ils allaient rendre hommage à quelque majesté authentique, leurs costumes et leurs uniformes de gala.

Quand le cortège du préfet approcha du vieux manoir où le moine vivait dans la société des fous, on le vit apparaître en robe de bure, à cheval, escorté d'une douzaine de religieux, également montés et qui tous paraissaient être d'habiles cavaliers. En l'apercevant, à la tête de cet état-major en soutanes, ses visiteurs s'arrêtèrent stupéfaits : c'était l'Empereur — l'Empereur à trente-deux ou trente-cinq ans —, l'âge du couronnement, — tel que des milliers d'images l'avaient fixé dans la mémoire populaire : même profil de médaille, même front olympien, même regard perforant, même gravité songeuse tempérée par un sourire. Marquiset jugea la ressemblance « extraordinaire » et avoue qu'il en fut singulièrement troublé. La cavalcade des capucins encadra les habits brodés et les uniformes militaires et l'on arriva ainsi à la ruine où campait avec ses hospitalisés le père Hilarion. Il en fit les honneurs avec courtoisie et dignité : l'établissement était fort soigneusement tenu et les pensionnaires avaient tous l'apparence de gens bien portants et satisfaits de leur sort.

En visitant la classe où deux frères instituteurs apprenaient à lire et à écrire aux enfants pauvres du pays, M. de Valdenuit éprouva le besoin de leur adresser une allocution pompeuse et ampoulée sur le mérite de leur belle action. Marquiset ne quittait pas des yeux l'un des maîtres auxquels ces paroles s'adressaient; il était certain d'avoir rencontré cette figure-là quelque part et ne parvenait pas à se rappeler en quelles circonstances ni en quel endroit. Le discours du préfet finit et le moine s'approcha de Marquiset. « Monsieur ne me reconnaît donc pas, dit-il; c'est bien étonnant; c'est moi qui étais domestique, il y a deux ans, chez M. le préfet et je vous ai bien souvent passé les plats à sa table. » Il raconta alors comment un amour contrarié était la cause de sa nouvelle situation.

A la vérité, le plus fou des hôtes du manoir paraissait être le généreux capucin qui présidait ce collège
d'hallucinés : sa conversation était du ton de la meilleure société; ses manières excellentes, ses gestes vifs et
gracieux, son tact, son esprit, l'élégance simple de sa
parole décelaient un homme du monde; mais, soit qu'il
voulût mystifier ses hôtes de passage, soit, plutôt, pour
esquiver les questions indiscrètes sur son passé, ses ressources, sa famille et son véritable nom, il extravaguait
par moments et jouait le démonomane : ainsi assurait-il,
avec un sérieux déconcertant, que, au cours de ses tournées dans le pays. « il rencontrait souvent le diable;
celui-ci lui disputait le passage; mais une certaine prière
le mettait en fuite ». Le père Hilarion prétendait aussi
que, grâce à ses relations avec Lucifer, il avait visité
l'enfer; il décrivait ce séjour de désolation avec une
effarante minutie de détails et semblait si convaincu
que nul n'en mettait en doute l'authenticité... Comme,
en quittant l'hospice, le préfet reconnut, parmi les
moines qui le saluaient, son ancien domestique, le père
saisit cette occasion de marquer son dédain pour les
gens dits « de qualité » : — « Plus les hommes sont
simples, plus ils s'élèvent ici. » On se sépara sur ces
paroles et le capitaine de la gendarmerie. tirant Marquiset par la manche, lui souffla : « L'Empereur a raison! » Le gendarme n'en démordait pas : le père Hilarion était bien l'Empereur : il suffisait d'interpréter ses
paraboles pour en avoir la certitude : tombé, — et de
quelle cime! — le maître du monde n'avait-il pas traversé
l'enfer des trahisons, des reniements, des lâches délaissements? Et s'il se plaisait tant parmi les humbles et les fous,
c'est parce qu'il avait évalué la suffisance des sages et la
bassesse des grands. Oui « l'Empereur avait raison... »

On n'en sait pas davantage sur ce singulier personnage. Existait-il quelque lien entre lui et le faux Napoléon arrêté dans l'Isère, en 1815? Etait-ce le même
homme? Qui était-il? Que devint-il? L'établissement
qu'il a fondé existe-t-il encore? Ce sont là des questions
que seuls les érudits locaux pourraient élucider, et sans
doute s'en est-il déjà trouvé pour étudier cette étrange
figure. Je ne puis même dire dans quelle ruine
féodale le père Hilarion avait installé ses fous : les
vieux châteaux ne manquent pas dans la région de
Mende : était-ce Saint-Marc, ou La Roche, ou Prades,
ou Hauterive, ou La Case, ou Blanquefort, le plus pittoresque et le plus romantique de tous? A tout hasard,
je déciderais en faveur de La Case, non loin de Saint-
Enimie, au bord du Tarn, car il y a là une salle où,
selon la tradition, les démons jadis fréquentèrent. Le
manoir est, aujourd'hui, une hôtellerie; mais *la chambre
du diable* a été conservée et, peut-être, est-ce là un souvenir lointain des rêveries qui, dans toute la contrée,
rendirent populaire le Napoléon-capucin.

TABLE

BRODARD ET TAUPIN — IMPRIMEUR - RELIEUR
Paris-Coulommiers. — France.
06.048-II-2-0846 - Dépôt légal n° 5016, 1er trimestre 1966.
LE LIVRE DE POCHE - 4, rue de Galliéra, Paris.